PERCHÉ?

UN AMORE COMPLICATO

DANIEL KEMP

Traduzione di

ROBERTA BERARDI

Pubblicato 2021 da Next Chapter

Copertina di www.thecovercollection.com

Quarta di copertina di David M. Schrader, usata sotto licenza da Shutterstock.com

Edizione A Caratteri Grandi

Questo libro è un'opera di finzione. Nomi, personaggi, luoghi e incidenti sono il prodotto dell'immaginazione dell'autore o sono usati in modo fittizio. Qualsiasi somiglianza ad eventi attuali, locali, o persone, vive o morte, è puramente casuale.

Da ragazzo con la vita ho giocato, lei era piena ed io uno sciocco patentato.
Discoteche, locali dove ciondolavo in giro, non certo per sentire un suono che ammiro.
Ragazze come prede e un letto per giacere. Quelle le cose che mi premeva avere.
Di cuori ne ho infranti, piacere ne ho dato, ma ho trovato l'amore e lì sono restato, fra le sue calde braccia per sempre frustrato.

Perché?

CAPITOLO 1

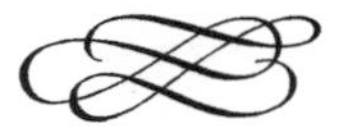

UN CONTRATTEMPO

La prima volta che la vidi fu esattamente oggi ventisette anni fa, ma non è lei la donna in questa bara. Lei vive nella mia memoria e non morirà mai.

"Cazzo!" furono tra le prime parole che ascoltai pronunciare da lei e, altra coincidenza, questo è anche ciò che ho detto io quando l'ho vista, solo che io l'ho detto in silenzio e per ben altri motivi. Qualcuno potrebbe insinuare che fossimo connessi dal fato; se è così, allora il fato non è stato gentile con nessuno dei due.

. . .

Sammy Swale aveva trentaquattro anni, io diciannove, e per nessuno di noi si trattava del primo approccio al sesso occasionale. Eravamo nel giardino della sua villetta nei sobborghi rigogliosi di Mottingham, vicino a Londra, ma abbastanza distanti da dove lei lavorava e io vivevo.

Ci incontrammo di venerdì sul tardi, nella notte che precedeva quell'alba infuocata d'agosto, al Face Club di Soho, su Dean Street, una delle mie due tappe fisse nel fine settimana. Ci ero andato con i miei due soliti amici e avevamo tirato di coca non appena arrivati. Andavamo in giro nel fine settimana senza alcun bisogno di dormire e con una sola cosa in testa, e non si trattava dei balli in pista! Mi ero imbattuto in Sammy qualche ora prima quella sera, e ci avevo scambiato due parole. Delle presentazioni più approfondite sarebbero arrivate dopo.

Mi ero stancato delle ragazzette con caschetto e frangia anni '80 e delle risatine che prorompevano ogni volta che parlavo di sesso. Ero diretto, forse un po' brutale, ma adoravo prendere in giro le ragazze della mia età e avevo un appetito insaziabile, anche se poi alla fine di solito lo saziavo. Solo, non quella sera.

. . .

Qualche palpatina veloce con quella che doveva essere una sveltina, contro il muro in un corridoio de *Il Gatto a quattro occhi*, era stata l'unica esperienza della serata, prima che il suo ragazzo tornasse a saltellarle in mente e la mia erezione venisse lasciata penzolare a mezz'aria. Ero frustrato e desideroso di ulteriore piacere sessuale.

Graham e Keith avevano lasciato la discoteca. Si erano annoiati. Che fossero andati da qualche altra parte, come mi avevano detto, o a casa a Bermondsey dove vivevo anch'io, non lo sapevo, né mi importava. Avevo una necessità impellente e solo un'oretta per soddisfarla, non certo abbastanza tempo da mettermi a vagare per terre inesplorate.

A quel punto della mia vita, non avevo mai avuto un appuntamento, figuriamoci con una ragazza di colore. Le tre del mattino si facevano vicine, sembrava che quella lacuna nella mia vita sessuale stesse per essere colmata. La verità era che le donne di colore mi facevano paura, mi intimidivano. Non discriminavo in base al colore della pelle, ne avevo solo paura. Ne ammiravo a più riprese la bellezza ma avevo sentito storie su uomini di colore superdotati e su come le donne storcessero il naso davanti a un bianco, ritenendolo inferiore in quel campo. Non è che potessi mostrare subito la mercanzia, se capite cosa intendo. Il nostro primo incontro era stato breve. Inavvertitamente l'avevo sfiorata, facendole cadere la sigaretta, il che era inusuale, dal momento che io ero piuttosto agile e non abituato ad urtare donne per caso.

"Ops, scusa, che sbadato," dissi, e lei non rispose, prese soltanto quella sigaretta non finita e la gettò via nel grande posacenere argentato vicino alla porta. Fui catturato dalla blusa bianca e dal reggiseno attillato che indossava più che da ogni altra sua caratteristica.

"Mi hai squadrata a sufficienza, signorino?" chiese senza passione, non soffermandosi in attesa in una risposta.

Il club era ancora affollato ma cominciava a svuotarsi man mano che si avvicinava l'ora di chiusura. La pista da ballo era meno piena di quando ero arrivato, c'erano coppie o per lo più in gruppi appartati. Mi mossi ritmicamente tra loro cercando un modo per soddisfare i miei desideri, ma non vedevo altro che una totale mediocrità fatta di donne poco attraenti e di volti privi di espressione, preconfezionati in modo uguale, e privi di fascino. La donna che conoscevo appena e avevo da poco incontrato fumava dietro il bar e parlava con altre due ragazze nere, sedute di fronte a lei, con le spalle rivolte a me. Nel momento esatto in cui la notai, sorrise nella mia direzione, poi barcollando – tuttavia senza sforzo – sul pavimento, si avvicinò.

"Ti ho guardato, sei un bravo ballerino. Hai soldi con te, ragazzo? Ho fame e non solo di cibo. Aspettami fuori dalla porta quando chiudiamo. Sarò l'ultima ad uscire, non sarà prima delle quattro del mattino. La mia macchina è dietro l'angolo e ti posso dare un passaggio. Riesci ad aspettare così a lungo, giovane amante, per goderti un po' la vita?"

Ci sarei riuscito, e non solo perché ero disperato. Era una donna bellissima e sensuale e ne fui lusingato. Ero stato abbordato e ne ero esaltato, stavo per essere condotto alla sua macchina. Mai stato con una ragazza nera, mai stato con una ragazza con una macchina. Pensai che si stava rivelando il giorno più importante della mia vita. Non immaginavo affatto quanto ci avessi visto giusto.

Chiuse a chiave la porta della discoteca con una certa spavalderia, poi mi prese a braccetto e facendo rimbalzare esageratamente il sedere, che continuava a toccare il mio, camminò con me in silenzio per un bel tratto. Mi venivano i brividi nell'attesa!

"Quanti anni hai?" chiese, mentre entravamo in un parcheggio sotterraneo aperto 24 ore su 24.

"Ventitré, ho fatto il giro dell'isolato un paio di volte, posso dirtelo", risposi, sicuro di me. Al che lei rise e mi diede un leggero spintone. Mentre fingevo di ritrovare l'equilibrio, lei mi appoggiò una mano dietro la nuca e mi baciò, spingendo la lingua in profondità nella mia bocca, mentre l'altra mano strofinava contro la parte anteriore dei miei jeans, tirando giù scherzosamente e poi su in alto, la zip.

"Lascio il dolce per dopo," disse compiaciuta. "Mangiamo prima, va bene? Conosco un posto dove le bistecche sono tenere come me." Non avevo voglia di discutere, ma non ero neppure disposto a lasciarla andare. Le tenni la mano più a lungo sul pacco, e le chiesi "ti piace quello che senti, vero?"

"Vedremo... Cazzo...ne!" rispose strizzando l'occhio e spezzando deliberatamente la parola. Avevamo raggiunto la sua macchina di lei e fui portato via da una dea.

Suggerì un ristorante aperto tutta la notte a New Cross, che conoscevo, ma non volevo andarci e così provai ad inventare che dovevo dei soldi al proprietario e non ero in grado di pagare. Ma non era questo il motivo. Sarò onesto, c'era una parte di me che era diffidente. L'anno in cui questo episodio ebbe luogo, non si vedevano molto spesso uomini bianchi con donne nere, specialmente per quanto riguarda uomini del mio rango; lei aggrottò le sopracciglia in segno di disapprovazione. Ero eccitato sì, al di là di qualsiasi cosa avessi mai conosciuto prima, ma anche cauto nel riconoscerlo.

"Devi dei soldi a Peckham?" chiese lei. Forse era la mia immaginazione. Sembrava consapevole del mio disagio.

"Un sacco", risposi, aggiungendo, "principalmente per il mantenimento dei bambini di cui sono padre. In ogni caso, sono pronto a tutto. Vuoi una prova?" La sua mano si appoggiò delicatamente sul rigonfiamento dei miei jeans mentre guidava e io le stuzzicavo i seni, infastidito dal fatto che il reggiseno non mi permettesse di toccarle i capezzoli come si deve.

Durante il pasto chiacchierammo amichevolmente di tutto ciò che ci capitava a tiro, musica, discoteche che conoscevamo entrambi e sesso; la mia materia preferita. Il mio intero mondo era cambiato e quello nuovo mi piaceva. I suoi grandi occhi marroni mi ipnotizzarono in un torpore sessuale difficile da contenere. Di nuovo percepì la mia irritazione.

"So che tutti possiamo inventarci storie, Cazzone, e non ti credo certo vergine ma neanche esperto come dici. Però sai che ti violenterò quando ti porterò a casa, vero? Non voglio che tu finisca velocemente con me perché ho appena iniziato. Non ne sarei affatto contenta. Nossignore. Vuoi andare in bagno e farti una sega prima che arriviamo a casa mia?" Aveva una voce roca e profonda e parlava lentamente, il che nel complesso intensificava il suo fascino e la sua sensualità. Mi era passato per la mente di fare come diceva, ma mi chiedevo se al mio ritorno avrebbe ancora aspettato.

"Solo se vieni con me", risposi ammiccante, trattenendo il respiro in attesa. Rifiutò il mio invito ma posso giurare che sembrava tentata. Rimasi dov'ero e confidai che la mia capacità di resistenza sarebbe stata adeguata.

La mattinata faceva capolino e la temperatura iniziava a riscaldarsi, sia all'interno che all'esterno dell'auto, durante il viaggio verso il luogo dei miei desideri. La sua gamba sfiorava la mia, con la mia mano che vagava tra le sue cosce e il suo seno. Le sue mani, invece, con mio sommo dispiacere, lasciavano solo il volante per cambiare marcia, con gli occhi che non lasciavano mai la strada.

"Lo sai che ti ho notato subito in discoteca, vero? Non è stato un caso, ho lasciato cadere la mia cicca a posta per poterti lanciare lo sguardo. Ho catturato subito la tua attenzione, eh? Sei lento a prendere l'iniziativa, mio amico Cazzone. Spero che sia anche un amante lento. Non farti piacere troppo il viaggio, è la destinazione che conta, sai." Una risata rauca mi riempì le orecchie e mi unii alle sue risa.

"Forse avrei dovuto seguire il tuo consiglio al bar. Speriamo che la bistecca faccia effetto e aumenti i miei livelli di energia, abbastanza da soddisfarti".

"Mi piacciono così tanto questi i trucchetti, tesoro, che ti sfiancherò, gioco a questo gioco da molto più tempo di te." La risata assunse un significato completamente diverso. Feci una smorfia anticipando l'inevitabile.

Parcheggiammo in un vialetto coperto dalla vegetazione di una casa altrimenti tenuta in modo impeccabile, di fronte a un garage fatiscente con porte di legno marrone marcio che non si aprivano da anni, eppure erano protette da un grande lucchetto grigio che sembrava innocuo e fuori posto. Questa parte del giardino anteriore era stata gravemente trascurata, permettendo alle spine di more di invadere il sentiero lastricato, rendendo la breve passeggiata pericolosa per le sue gambe nude e sinuose che, insieme al suo culo, erano ora al centro della mia attenzione.

"Ecco, lasciami fare", dissi, allentando da lei alcuni steli spinosi con i miei stivali Dr. Martens e una mano che le accarezzava una gamba nuda per proteggerla.

"Hmm, un vero gentiluomo." Improvvisamente smise di camminare, sollevò la mia testa e mi baciò con fervore, usando di nuovo la sua lingua esperta. "Spero che tu smetta di esserlo quando sarai dentro", aggiunse, mentre si allontanava altrettanto improvvisamente. Tutta via le rimase una piega sulla fronte molto tempo dopo aver pronunciato la parola "dentro". Colsi l'implicazione e sorrisi, più nella speranza che nella certezza.

"Seguimi", mi ordinò, e obbedii.

"Nessuno si affaccia su questo giardino e c'è qualcosa nel fare sesso fuori che mi eccita tantissimo." Un'altra pausa, mi puntò addosso un dito lungo e sottile con unghie laccate di rosso. "Sdraiati su quel lettino, mi spoglio per te." Quel tono rauco profondo aggiungeva gioia alle sue istruzioni.

Stava a una decina di centimetri da me ondeggiando dolcemente al ritmo di *One Day in Your Life* di Michael Jackson proveniente dall'interno della cucina. Lì ci eravamo appena lavati le mani su quel lavandino ben pulito. Un'altra sua regola ferrea a cui mi ero arreso. Cominciava a piacermi il fatto che mi dicesse cosa fare.

Le scarpe, con i tacchi alti e di vernice rossa, furono le prime ad andar via. Tolte con cura e movimenti decisi, poi riposte sotto la sedia mentre il suo corpo si inarcava davanti a me. I suoi occhi erano fissi nella mia direzione e un ghigno, piuttosto che un sorriso, puntava al mio basso ventre. Mi distesi con le gambe divaricate, un voyeur disponibile mentre mi slacciava gli stivali.

Poi venne il turno della sua gonna rossa, abbinata. La tirò giù lentamente e senza resistenza facendola cadere sull'erba ancora leggermente ruvida e rugiadosa. Era corta e stretta, abbastanza da suscitare i desideri di qualsiasi giovane uomo, ma mentre lei piroettava e si allontanava voluttuosamente, la mia eccitazione diventava ormai evidente. Il suo ghigno e il modo eccessivo con cui si mordeva e leccava le labbra presero un filo di crudeltà nella mia immaginazione sfrenata.

Un perizoma rosa, di pizzo e trasparente contro la sua pelle nera era quasi troppo per resistere dall'afferrarlo e strapparlo via. Pensavo di essere ben esperto nell'arte della seduzione, ma mai tanto quanto Sammy!

"L'ho fatto per la prima volta quando avevo quasi diciassette anni, sono rimasta incinta già in quell'occasione, ma ho imparato a farlo come si deve solo negli ultimi due anni." Un altro ammiccamento e un sorriso malizioso prima di continuare sia col suo discorso che giocando con i pollici sull'elastico che copriva la sua modestia.

"C'era un ragazzo svedese che veniva club; fu lui a mostrarmi come fare sesso correttamente." Non sapevo se mi stesse dicendo queste cose per distrarmi o per allettarmi di più, poiché un bottone dopo l'altro, sul retro della sua camicetta bianca, veniva sensualmente slacciato e le sue piccole coppe di champagne, i seni, puntavano in alto, in modo alquanto invitante.

Scostò il reggiseno rosa abbinato e scollato mentre si inginocchiava accanto a me.

Misi il mio braccio destro sulla sua spalla sinistra e con la mano sinistra iniziai ad accarezzarle le areole morbide – con la pelle d'oca – fino alla punta stranamente bianca del suo capezzolo eretto. Ero innocente nei confronti delle donne nere, e le trovavo intriganti all'estremo.

"Vediamo cosa hai da offrire, ok?" Sorrisi, ma non avevo parole. Si chinò su di me e iniziò ad arrotolare la mia maglietta bianca. Il leggero brivido del primo mattino colse il mio petto nudo mentre i suoi seni si rizzavano davanti al mio viso e io lottavo con i suoi capezzoli ispidi, facendo rotolare la lingua su entrambi. Si allontanò e fugacemente mi preoccupai che quella fosse la fine della mia educazione sessuale nelle mani di una donna più matura. Avevo fatto qualcosa di sbagliato? Nient'affatto. Le sue mani trovarono la fibbia della mia cintura e io mi alzai in avanti per consentire che i miei Levis e gli slip venissero rimossi insieme. I suoi occhi non si staccarono mai dai miei.

Sentii un hmm soddisfacente provenire dalle sue labbra mentre le sue dita accarezzavano il mio pene eretto e la sua bocca si abbassava lentamente nella sua direzione. Quello fu il momento preciso in cui Laura decise di entrare nella mia vita dalla porta del salone.

"Che cazzo stai facendo, mamma!"

Sammy si fermò, con grande delusione e forte imbarazzo da parte mia.

"Pensavo fossi via per il fine settimana con tuo padre, Laura. Perché sei qui, figlia mia?" Lasciandomi frettolosamente andare e alzandosi, si rivolse con calma alla ragazza spaventata, che ci fissava entrambi, stupita. Mi innamorai all'istante di quella faccia impaurita.

"Beh no, non ci sono andata. Neanche lui ne voleva sapere di me. Non riesci a trovare qualcuno della tua età da scoparti, mamma? Non sarà più grande di me e a quanto pare non ti è molto utile adesso." Un cenno in direzione del mio pene mostrava che non andava tutto per il meglio col mio vigore sessuale, di cui immaginavo di avere il pieno controllo. Il lettino era bagnato e lo ero anch'io. Anche lei non doveva sforzarsi di capire, poiché era proprio sopra di me con i pantaloni in mano!

"Se fossi in te, coprirei quella cosetta, nel caso in cui un passero pensi che sia un verme. Mettiti addosso il resto dei tuoi vestiti, poi puoi pulire quel casino. Sai, a volte prendo il sole su quella sedia." Si rivolse a me con disprezzo. Non il più felice dei primi incontri, ma comunque di portata memorabile!

CAPITOLO 2

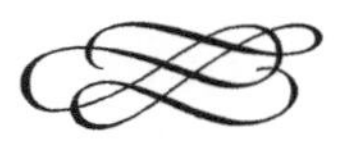

INTRODUCTIONS

"Immagino ti abbia trovato in discoteca, vero?" chiese, mentre si voltava per andar via.

Laura aveva lunghi capelli castani ricci che le cadevano sulle spalle e che, se fossero stati stirati, immaginai, avrebbero raggiunto la parte bassa della schiena. Fu quella schiena che seguii verso la casa, parzialmente vestito ma ancora messo a nudo dalla vergogna, mentre facevo fatica a riguadagnare un po' di rispetto per me stesso.

"Troverai un secchio con una spugna nel capanno vicino al garage. Fai un lavoro accurato, perché non voglio sentire la puzza di ragazzo bianco quando sono sdraiata a prendere il sole."

"E allora, preferiresti che fosse stato un ragazzo di colore a riempirti la sdraio di sperma, sarebbe andata meglio così? Inoltre, non sei né carne né esce, più bianca che nera, direi, e anche un po' confusa da come vanno le cose. Il tuo babbo è uno dei miei compagni, per caso?" Mi chinai per sostituire gli stivali e mentre lo facevo lei si voltò, ora in piedi di fronte a me.

"Ascoltami bene, mi dispiace molto per te ma sei solo uno dei tanti per mia madre. Ti terrà intorno per tutta la giornata, forse nemmeno, nel tuo caso, perché sarai inutile a lungo, e quando tornerai utile, si sarà addormentata."

Sammy si precipitò oltre, come una tempesta di carne che rimbalzava e faceva sventolare vestiti. "È con te?" Guardai nella sua direzione, pensando che quell'osservazione fosse intesa come un riferimento a me, ma fu Laura a rispondere, a proposito di un'altra persona.

"Hai un minuto o due? Trova più imbarazzante del normale scendere dall'auto. Non sta passando affatto una bella giornata, mamma", gridò alla madre in fuga e io rimasi a chiedermi a chi si riferisse. Non dovetti aspettare a lungo.

In quei pochi istanti ebbi la mia prima occasione di valutare questa ragazza che era entrata così drammaticamente nella mia vita, ora che ne aveva il controllo assoluto. L'intensità dei suoi occhi spalancati e luminosi, dal color nocciola, il più profondo che avessi mai visto, mi colse alla sprovvista. Il mondo intero sembrava essere stato inghiottito dentro di essi. Erano davvero luminosi e splendenti, eppure stanchi e affaticati allo stesso tempo, come se avessero visto ormai tutto del mondo e volessero scapparne.

Il suo piccolo viso era a forma di cuore con un mento altrettanto piccolo, leggermente increspato e arrotondato. Zigomi acuti e alti che ne enfatizzavano la bellezza parevano urlarmi: "fammi uscire da me stesso. Ho bisogno di spazio per respirare." Era in piedi diritta e orgogliosa, forse solo qualche centimetro più bassa di me, con spalle piccole e una clavicola pronunciata. Le sue braccia sottili e nude erano graziosamente coperte dalla camicia a righe rosa di un uomo, arrotolata al polsino, una camicia che mi sarebbe andata bene – e io ero molte taglie più gande di lei e pesavo molto di più. Se avesse indossato un sacco da carbonaio, sarebbe apparso elegante anche quello.

"Chi c ..." Stavo per chiederle chi pensasse di essere, ma un dito profumato mi sfiorò delicatamente le labbra, impedendomi di finire quella domanda.

"Mai ... mai, non provare mai a bestemmiare davanti a me. È una cattiva abitudine che alcuni uomini hanno quando sono vicino alle donne. Non intendo tolleralo. Hai capito, Gioiellino?".

Entrambe le sue mani erano appoggiate alla vita stretta, le dita unite puntavano verso terra, mentre mi rimproverava come una preside farebbe con uno scolaro discolo.

"Vedo che le cose migliorano rispetto a prima. Prima di tutto io e te ci rivedremo, altrimenti perché mettermi in guardia dalle parolacce? E mi sono persino procurato un soprannome; Gioiellino. Mi piacciono i gioielli, lingua lunga...Laura. Noto che a te è concesso bestemmiare però." Parlai a Laura con il mio accento sguaiato, ma senza rischiare di sembrare troppo paternalistico.

"Non metterei in conto molti passi avanti nel futuro immediato. Se lo fai, probabilmente rimarrai deluso. Come ti chiami, comunque?" chiese, senza fare commenti sulle mie critiche.

Mi trascinai dietro di lei, Sammy ora svaniva dalle mie aspettative di estasi e si limitava a un ricordo. Era stato qualcosa di più della semplice figura formosa di Laura che aveva attirato il mio sguardo, impedendogli di vagare, ma non sapevo cosa fosse esattamente. Tutto quello che sapevo era che ero totalmente assorbito da quella ragazza.

. . .

Le sue labbra attraenti e che desideravo baciare mi avevano paralizzato in uno sguardo fisso che non riuscivo a togliermi, perfettamente stampatomi in faccia, uno di quei tatuaggi finti così diffusi nelle vetrine di moda di quei giorni. Balbettai, come se il mio nome fosse un mistero.

"Sono Terry e direi anche che è un stato piacere conoscerti ma, come hai visto, la mia attenzione era altrove."

Rise in modo così provocante, mentre camminavamo fianco a fianco verso la casa, che quasi avrei voluto gridare di gioia. Mi sentivo vuoto di tutto tranne che di lei.

Le toccai piano il braccio, in modo da attirare la sua attenzione, ma anche per verificare di essere vivo e non in una specie di sogno indotto dalla droga.

"Hai detto che è la sua discoteca, intendo, quella di tua madre? La possiede proprio?"

Si allontanò piano.

"Beh, più o meno sì. È solo una questione di facciata, ma ci ha messo il nome. Mio padre e alcuni dei suoi conoscenti sono dietro a tutto per quanto riguarda i soldi e tutto il resto, ma c'è il suo nome sopra la porta e sulla licenza. Stai attento a lei e a mio padre, Terry, sono in un giro di persone strane."

"Mi è corsa dietro, questo è certo", mi lamentai infantilmente.

"Vedo che vuoi litigare, lurido ragazzino. Quanti anni hai comunque?"

Avevamo raggiunto la porta della cucina e lei si fermò, lasciandomi la possibilità di gustare meglio il panorama. Aveva piedi piccoli e mani piccole, ma gambe lunghe e braccia lunghe, una pelle olivastra, che se non avessi conosciuto i suoi antenati, avrei potuto dire dell'Europa meridionale. Avevo visto un'attrice italiana in un film ed era lei che Laura mi aveva fatto tornare in mente.

"Ho quasi vent'anni, li farò questo mese. Ho detto a tua madre che avevo tre anni in più. Non sono sicuro del perché, non avevo motivo di impressionarla, doveva esserlo già", risposi ridendo, incoraggiato da una rinnovata fiducia derivante dal fatto che ormai ero completamente vestito e avevo superato l'imbarazzo che avevo provato all'inizio.

"Che data?" chiese in modo esigente.

"Che data cosa?"

"Il tuo compleanno, stupido."

"Il ventinove! Perché?"

. . .

La porta non era né completamente aperta né completamente chiusa, ma tenuta socchiusa saldamente da una mano piccola e ben definita. "Oh mio Dio," disse mentre la apriva ulteriormente e mi faceva cenno di entrare per primo, "allora l'età dovrebbe contare più della bellezza. Hai esattamente due anni più di me!" Una coincidenza che non colsi, né feci ulteriori domande quel giorno.

Mentre mi infilavo ed entravo nella stretta cucina dall'aspetto di galera, fu il suo profumo a catturarmi la mente e turbare la mia tranquillità. Il dito che aveva toccato le mie labbra dava di fiori, forse un accenno di lavanda, ma ora sentivo l'odore del mare e delle pesche.

"Co"è quell'odore che emani?" Chiesi goffamente, ma almeno posi adeguatamente la mia domanda.

"Wow, ti vuoi davvero distinguere, eh? Frase d'abbordaggio classica per te, Terry, quando sei in tiro, vero?... Di cosa profumi, piccola?"

"No, in realtà non lo è, è solo che hai un odore... beh, è molto sexy."

"È una fragranza Estée Lauder, chiamata Beautiful. Approvi, dunque?"

"Incontrovertibilmente," risposi, stringendo le labbra in segno ammirazione.

"Incontrovertibilmente, questa è una parola un

po' accademica per te Gioiellino. Ti avevo giudicato uno sciocco analfabeta, ma sei pieno di sorprese. Conosci anche parole che non iniziano con la lettera 'I'. Cosa fai, Gioiellino, vai ancora a scuola o sei già entrato nel grande mondo crudele del mercato? Vuoi tè o caffè istantaneo? Niente roba schiumosa qui, amico." Un falso sorriso le illuminò il viso mentre le rientranze dai lati del naso fino al mento formavano un cerchio perfetto. Era perfetta in ogni dettaglio.

"Cos'è questa storia di 'Gioiellino', da dove viene?" Chiesi.

"I tuoi capelli, stupido! Di che colore li definiresti, se non dorati come un gioiello?" La ignorai, rispondendo semplicemente alla sua prima domanda.

"Lavoro per il ministero, in realtà." Stavo cercando di sembrare più importante di quanto fossi, ma lei mi aveva nel palmo della sua mano e non avevo mai sperimentato prima questa strana timidezza.

"Oo-ehm! Persona molto importante quindi. Immagino che versi il latte sul tè, vero? A quanto pare, il caffè istantaneo è finito, ci accontenteremo di bustine di tè."

"Che tipo di ministero è allora, quello dove lavori?" Mi dava le spalle, e di nuovo stavo studiando ogni suo centimetro.

La domanda non ebbe ma modo di trovare una risposta, poiché in quel momento ci fu un urlo seguito da uno schianto e il suono di una porta che si chiudeva sbattendo. Poi sentii le voci soffocate di due persone che discutevano da qualche parte al piano di sopra della casa. Poi un altro grido. Il sarcasmo di Laura svanì.

"Non preoccuparti, è mio padre. Non la colpisce mai. È troppo preziosa per farle del male fisicamente. Potrebbe però colpirti quando ti vede e ti minaccerà senza dubbio. Sei fortunato che non abbia nessuno degli amici che a volte porta in giro, in quel caso saresti in guai seri! Meglio salvare la faccia, sai? È molte cose, mio padre, tra cui un ipocrita."

"È già successo prima, allora? Voglio dire, lui, tuo padre, che becca Sammy che se la spassa con qualcuno?"

Una piccola risata beffarda e un cenno del capo risposero alla mia domanda ma per rafforzarla aggiunse: "Sei davvero così ingenuo da pensare di essere stato il primo? Hai una bella opinione di te stesso, eh?" Non avevo bisogno di rispondere, la mia credibilità si era un po' persa.

"Purtroppo, vivo qui con lei, e per quanto riguarda l'uomo che mi ha generato, lo vedo occasionalmente nei fine settimana ogni volta che si ricorda che esisto e respiro, e non sono solo qualcuno da coprire di soldi. Ha più soldi lui di quanta gente ci sia a Londra. Probabilmente potrebbe dare a ciascuno una banconota cinque e non andare in rovina. Non ho altra scelta che sopportarlo, come fa mamma. La possiede e vorrebbe possedere me, ma non lo fa; e mai lo farà". Mi porse una tazza di tè fumante.

"Non sembri preoccupato, Terry, che mio padre ti abbia trovato qui a scopare sua moglie."

"No, sono in grado di badare a me stesso, inoltre mi ha invitato lei. Ho avuto qualche scontro con le donne, uno in più non farà molta differenza", dichiarai fiducioso.

"Ma vedi. Un novello James Bond quindi. Se solo avessi saputo avrei scosso il tè e non l'avrei mescolato." Un sorriso beffardo le gonfiò le guance, e gli occhi le si socchiusero.

"Entra nella lounge, c'è qualcuno che potresti incontrare per discutere di quelle esperienze sconvolgenti che hai avuto." Tornai a seguirla mentre portava altre due tazze di tè e io portavo la mia.

"L'altra tazza è per chiunque sia lì, allora? Pensavo fosse per tuo padre."

"No, non resterà qui, ma non è il tuo primo errore della giornata, Terry. Spero che sia l'ultimo però."

Era alto circa due metri e mezzo e largo quanto il fianco di un autobus. Esagero, ma è così che mi parve nella grande sala divisa in cui mi trovavo ora. Iniziai a preoccuparmi in quella fase.

"Questo è Gary, saluta, Terry. Accompagna mio padre in giro in un'auto truccata spacciandola per una Rolls Royce nera, e con quella va dappertutto, come se gli fosse saldata alle ossa. L'auto è fuori con probabilmente Charlie in piedi accanto a lei, ad ammirare la lucidatura che ne sta facendo. A questo, senza dubbio, sta facendo qualcosa di più. Papà ha qualcuno che fa tutto per lui, beh quasi tutto."

Salutai come indicato, ma non rimasi sorpreso dalla mancanza di risposta o da qualsiasi altra comunicazione da parte di Gary. Sembrava in tono col suo aspetto. Più un picchiatore che un oratore, pensai.

"Cosa fai, allora, nella vita, Laura?" Chiesi, mentre sprofondavo in una poltrona di pelle rossa che assumeva proporzioni lillipuziane rispetto all'uomo di fronte. Stavo tentando francamente di dimenticarmi di lui.

"Disegno gioielli, Gioiellino."

Gary trovò divertente il mio soprannome appena acquisito mentre parlava per la prima volta ripetendolo con quella sua voce profonda, cavernosa e irridente. "Gioiellino, mi piace. È divertente."

. . .

Mentre pensavo che a me non sembrava affatto divertente, il suono arduo e pesante di un passo sbilanciato provenne dalle scale, seguito da una voce profonda e gracidante che gridava istruzioni, mentre scendeva lentamente. Gary, bevendo rumorosamente il suo tè con il pugno avvolto intorno alla tazza, emise un grugnito di riconoscimento che suonava come la scimmia a cui somigliava. "Tutto bene, capo?"

"Ce ne andiamo di qui, ragazza, colpisci il ragazzo. Non è difficile, giusto il tanto che basta per sapere che ciò che è mio, rimane mio. Oh no, aspetta, Gary, ho dimenticato la piccola grande Laura è qui. Prima parlerò con lui. Meglio che sia solo uno schiaffo, quando esci."

I pochi passi che gli ci vollero per entrare nella stanza dall'ampio corridoio furono senza dubbio i momenti più spaventosi che avessi mai affrontato.

Camminava goffamente, come se fosse abituato a stare seduto più che a usare le gambe. La sua andatura e ogni passo sembravano colmi di pena, ma non c'era dolore sul suo viso, solo odio e violenza. A ogni breve passo barcollava all'indietro con un movimento oscillante, atterrando sui talloni invece che sulle piante dei piedi. Era alto, di corporatura ampia e aveva una figura imponente. Il mantello fluente, indossato sopra il suo abito nero immacolato, con una catena di orologio Albert che penzolava dalle tasche del panciotto, gli dava l'aura di una figura dickensiana, simile a un intelligente Bill Sykes. Le sue ginocchia sembravano rigide e impossibili da flettere mentre si muoveva, rendendo l'intera scena drammatica e robotica allo stesso tempo. Usava un bastone da passeggio spesso, robusto e con la cima d'argento su cui si appoggiava pesantemente con ogni movimento deciso e questo, con la sua pietra centrale verde brillante, era a pochi centimetri dal mio viso. Prima l'estremità pesante! Gary era in piedi, sostenendo il braccio dell'uomo.

"Non posso essere qui ventiquattr'ore su ventiquattro, ma se mai ti trovassi di nuovo in questa mia casa, a cena o a farti la mia signora, ti spaccherò la faccia così terribilmente che tua madre penserà che tu sia un alieno. Se ti fotti mia figlia, ti strappo via il cazzo e le palle con un paio di pinze e te le faccio mangiare prima di bruciarti vivo. Intesi?" Le sue labbra sottili, serrate e bianche si muovevano in un ritmo costante e la mia vescica si stava riempiendo.

Posso onestamente dire che avevo inteso ma non ebbi modo di mostrarmi d'accordo. La cosa successiva di cui ho memorie è che mi sentii bagnato, con Laura in piedi sopra di me che premeva una flanella fredda contro la mia testa dolorante. Ero nella stessa poltrona e mi tirai su a sedere velocemente, controllando il pavimento.

"Cosa stai facendo?" chiese, allontanandosi da me.

"Non me la sono fatta sotto, vero?" Non l'avevo fatto, ma avevo urgente bisogno di andare.

Entrambi i bagni erano al piano di sopra, quindi ad ogni passo che salivo mi chiedevo se ci sarebbe stato qualche segno di Sammy. Il pianerottolo era un ammasso di porte con una porta che chiudeva proprio la stanza di cui avevo bisogno. Non riuscivo a sentire alcun suono provenire da nessuna parte.

CAPITOLO 3

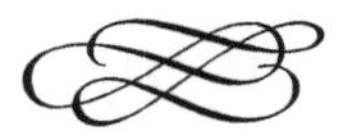

LACRIME

Ero ancora stordito dal pugno e molto disorientato ma piacevolmente sorpreso quando la mia nuova amica mi invitò a restare fino al momento della sua partenza. Mi raggomitolai sotto una coperta che lei aveva posto sul divano ormai da tempo abbandonato da Gary, piombato nel sonno e ignaro di quello che era successo. Non posso essere sicuro se fosse solo per lo schiaffo ricevuto come punizione o per il fatto che la cocaina era svanita, ma quando mi svegliai, fui sollevato di scoprire che ero completamente vestito, con un buon odore e che Laura non era stata un sogno.

"La mamma ha chiesto di te, Terry, mi ha detto di dirtelo. Penso che ti stia aspettando."

. . .

Era la voce di Laura quella con cui mi ero svegliato, ma non l'argomento di conversazione che mi aspettavo. All'inizio non riuscivo a vederla, ma poi colsi il suo riflesso da uno schermo televisivo in una parte della stanza nascosta alla mia vista. A dire il vero, mi ero dimenticato di Sammy nel momento in cui Laura ci aveva disturbati in giardino. Non avevo idea di quanto tempo fosse passato.

"Ha detto perché, Laura?" Non stavo cercando di essere intelligente, subdolo o banale, le parole della mia risposta vennero davvero fuori in quel modo.

"Mi pare ovvio, Terry. Qualcosa mi dice che non è per il tuo cervello. Forse ti ha visto quando eri in uno stato migliore di quando ti ho visto io?" Presumo che la condizione enfatizzata con sarcasmo si riferisse al vermiciattolo descritto in precedenza. Non si era preoccupata di distogliere la sua attenzione da qualunque cosa stessero trasmettendo in televisione.

"Oh", fu tutto ciò che riuscii a dire e ciò richiese un enorme sforzo mentale. Mi ero alzato ed ero accanto alla persona che avrei preferito mi desiderasse. Non volevo andarmene.

"Non indugiare, Gioiellino, nemmeno la passione di mia madre durerà per sempre."

"Cioè, non ti dispiace che vada a scopare tua madre, è questo che stai dicendo?" Chiesi incredulo.

"Quello che fai con gli altri, amico mio, non è affar mio, è la tua vita, Terry. Nessuno ti possiede. Se sei venuto qui per fare sesso, non c'è nessun'altra persona disponibile, oltre a mia madre che possa soddisfare i tuoi bisogni primordiali da ragazzino".

"In qualche modo ciò che dici mi suona strano, freddo e distante. Lei è tua madre, Laura, dovresti preoccuparti." Le vomitai addosso quelle parole con ferocia, cercando aizzarla. Aveva quasi funzionato. Rischiavo grosso.

Si alzò da quella sedia con la stessa rapidità con di un levriero quando i cancelli di partenza vengono sollevati su una pista per cani, avendo allo stesso tempo la grazia di un cavallo al galoppo.

"Non provare mai a presumere a chi tengo o a chi no." Con uno sguardo di sfida si rivolse a me, il suo viso a non più di qualche centimetro dal mio, con enfasi sul 'mai'. "Non hai questo diritto. Sei sordo oltre che stupido? Ti ho appena detto che nessuno ti possiede, ma allora cosa pensi, di possedere o controllare i miei pensieri? Vai a cagare. Vai a scopartela."

Niente di tutto ciò fu gridato con rabbia, era molto più controllato, come se potesse esplodere in sintonia con i toni crescenti della sua voce in qualsiasi momento. Mi fissava e mi lanciava coltelli da quegli occhi enormi che contenevano così tanta rabbia che mi sembrava di essere stato colpito in volto da aghi velenosi e pungenti.

"Mi dispiace, non intendevo offenderti, stavo solo cercando di essere..." Non mi fu permesso di finire, il tocco morbido delle sue quattro dita si posava sulle mie labbra.

"So cosa volevi dire, Terry, ma non mi conosci, né sai come è stata la mia vita. Sei giovane, sei arrapato, lei non aspetta altro. Cosa c'è da spiegare? Vai da lei, va bene?". Le sue dita rimasero lì mentre annuivo in assenso.

"Guardala negli occhi, quando sei con lei. Guarda fino in fondo nell'anima di mia madre e vedrai l'inferno lì dentro. Non è colpa sua il modo in cui sta, è quello che la vita le ha fatto. Un giorno se sei molto sfortunato, forse anche oggi, chissà, ti racconterò alcune cose di lei, di me e dell'uomo che chiamo papà. Ma adesso non è il momento. Adesso è il momento per te di rendere felice mia madre. Vai a farlo, Terry, sii un bravo soldato sull'attenti." L'insinuazione era difficile da non cogliere.

Tolse la mano mentre si allontanava da me, ebbi l'impressione di aver sentito un leggero tirare su col naso ma non posso esserne sicuro.

Sammy era a letto, ma quando chiusi la porta ed entrai nella sua camera da letto, scese e si mise davanti a me sorridente e pronta per l'ispezione. Aveva un top bianco di seta trasparente che, contro la sua pelle nera, era tutto ciò di cui avevo bisogno per eccitarmi. Era un pomeriggio e il caldo era opprimente anche con tutte le finestre aperte. La leggera brezza che soffiava portava solo un caldo più soffocante. Le tende di voile alla finestra erano quasi immobili, sospese, come annoiate, in attesa che accadesse qualcosa di eccitante. Così era anche Sammy.

"Ho caldo, voglio un fare un bagno e voglio te."

Quelle furono le uniche parole che ci scambiammo nei dieci minuti successivi. Il tempo che mi ci volle per spogliarmi ed entrare in lei per la prima di varie volte, ma, in equilibrio precario sul bordo di una vasca da bagno piena in un angolo di quella stanza, mi chiesi anche se potesse essere l'ultima. Mi spezzai quasi a metà sotto la sua spinta instancabile e aggressiva. Più tardi, il letto si impregnava del sudore dei nostri corpi durante quella orgia pomeridiana, mentre la mia schiena veniva graffiata e il mio corpo morso, succhiato e accarezzato. Raramente mi riposavo, essendo in uno stato di estasi e infelicità di eguali proporzioni, ma non era il dolore fisico che mi affliggeva, era un'angoscia mentale.

Volevo e accettavo di buon grado ciò che mi veniva offerto, godendomi tutto, mentre lei mi prendeva in giro e mi tormentava con la sua magistrale abilità.

Non c'era resistenza né resa in me. Mi stavo godendo spudoratamente ogni secondo; ma mi sentivo in colpa. Per quanto il mio corpo fosse lì in camera da letto, la mia mente era saldamente fissata altrove, giù per le scale in quel salotto. Ogni volta che io e Sammy facevamo sesso, contorcendoci fino a saziarci solo di lussuria, tutto quello a cui pensavo era fare l'amore con la ragazza che aveva causato il mio precedente imbarazzo. Avevo in mente solo la purezza di Laura. Solo puro amore senza niente dell'immoralità egoista e licenziosa così accuratamente descritta da lei.

Alla fine della nostra maratona sessuale feci il bagno da solo, mentre Sammy cadeva in un sonno esausto, non credo solo per i nostri piaceri sessuali. Avevo seguito le istruzioni di Laura e penso di aver intravisto l'inferno a cui si riferiva mentre piangeva:

"Dimmi una bugia. Fammi credere all'illusione che mi ami, Terry... Per favore!"

Era qualcosa che non potevo dirle.

Grida amore
Mi urlò contro.
Poiché l'appetito era sazio all'infinito
Per tutto il giorno fece le sue richieste

Con me che obbedivo ai suoi comandi
appassionati
In questo modo, in questo modo! Devo
riposarmi.
Fumare, riprendere fiato
Prenditi il tuo tempo, dissi in modo allettante.
Non era la verità, ma le bugie sgorgavano
come sangue.

Volevo andarmene. Avevo bisogno di spazio.
Non volevo partecipare a una gara di sesso.
Soffrivo, il mio corpo era debole.
Avevo un disperato bisogno di riposo e sonno
Ma non qui, non nel suo letto beato.
Là giaceva l'amore e fui pieno di terrore.
Mi alzai e me ne andai e sentii lo stridio
Quando un grido d'amore cercò di
raggiungere il mio cuore.

Non riesco a spiegare completamente perché mi fossi innamorato di Laura quel giorno. Ho esaminato attentamente le mie emozioni, cercando di razionalizzare le mie ragioni. Non ho trovato niente che lo spieghi. L'unica cosa di cui sono sicuro è che da allora non ho più provato quella sensazione.

CAPITOLO 4

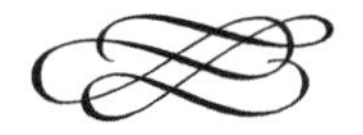

IL PALCO

Ritornando nella stanza in cui avevo lasciato Laura, mi disperai nel constatare che non era lì. Il primo pensiero che ebbi fu: cosa avevo fatto di male? L'avevo disgustata così tanto da farla andare via? è vero, ero ossessionato da me stesso nel crederlo, ma ne avevo davvero colpa? Non pensereste la stessa cosa? La mia ansia svanì rapidamente quando la porta posteriore del garage che prima aveva attirato la mia attenzione si aprì con una luce splendente che anche ora, alla luce del sole che si spegneva, era chiaramente visibile.

"Ah, il grande Casanova torna dal suo trionfo, vedo." Con mio grande stupore mi sorrideva. "Ci siamo divertiti, vero?" Mi prendeva in giro sfacciatamente!

"Una vera estasi, grazie", risposi, ma era solo per rappresaglia, una risposta insincera.

"Cosa stavi facendo allora?" Chiesi, e volevo davvero sapere.

"Sto lavorando su alcuni progetti. Vuoi vederli, ragazzino innamorato?"

La dependance, che correva per l'intera lunghezza della casa, era priva di finestre con quelle porte anteriori, pesantemente rivestite di acciaio, dotate di lucchetto, e apparentemente inespugnabili. La porta aperta dalla quale ero entrato aveva una persiana d'acciaio sopra, quindi anche quella era protetta in modo simile. Le pareti erano rivestite di scaffalature d'acciaio che contenevano scatole e centinaia di libri. Ce n'era uno sul piano di lavoro accanto a dove mi trovavo: *Manuale di chimica e fisica.* Una roba nera di grandi dimensioni, con scritte argentate.

Al centro del pavimento, isolate, c'erano altre due postazioni di lavoro con scaffali aperti al di sotto, ma era ciò che si trovava su di loro ad affascinarmi. Vetro che rifletteva la luce e tubi di rame finemente lucidati, che collegavano fiale e cilindri di proporzioni variabili, alcuni arricciati a spirale e altri appena dritti. C'erano becher, microscopi, provette e un dispositivo di miscelazione rotante che, insieme a un contenitore agitante, stava roteando per funzionare. Due estintori indipendenti erano in piedi accanto a una grande camera annerita che occupava i due terzi dello spazio anteriore con il suo camino in acciaio inossidabile che scompariva attraverso il tetto. Era contrassegnato in modo luminoso e iridescente con le parole "Pericolo Fornace" scritte in grassetto in rosso sopra. Poi c'erano i macchinari tipici dei laboratori; i bruciatori di gas.

"Almeno ne conosco il nome, li ho usati in chimica a scuola. Una volta ho fatto saltare in aria una lattina. Inteso, intendiamoci, nessun incidente. Parte della scoperta di cosa fosse un vuoto, a quanto pare. Pensavo che servisse per raccogliere la polvere dal pavimento di casa. Che bel posto che hai qui, Laura," esclamai con approvazione.

"Ti sbagli, Terry, non li puoi aver usati, si chiamano bruciatori Te-clu. Molto più caldi di quello che hai usato tu, ideale per quello che mi serve però. Prima che tu mi annoi con le domande e mi chieda cosa faccio qui, te lo dirò in un linguaggio comune, così capirai. Faccio sciogliere l'oro fino a renderlo fluido, quindi estraggo i sali da esso. Lo aggiungo, in quantità variabili, a vari minerali metallici e poi di nuovo all'oro. L'oro, con purezza diversa, o carati per te, mi dà i colori di cui ho bisogno. È quel prodotto finale che utilizzo nei miei progetti di gioielli. Tutto chiaro?"

"Assolutamente sì! Beh, forse sono un centinaio

di metri dietro di te, ma ti sto raggiungendo, credimi. Ti sei ingoiata il dizionario, eh? Non vedo l'ora della prossima lezione." Risi e lei mi lanciò uno dei suoi sorrisi, illuminando l'intera area più di quanto avrebbero mai potuto fare quelle strisce di illuminazione a fluorescenza, che erano più di due dozzine.

"Cuoci il pane in quel forno, vero?" Indicai l'oggetto che non era sfuggito alla mia visione.

"No," disse, e con quella singola parola il suo sorriso scomparve e avvertii il suo dolore mentre quegli occhi luccicanti sembravano velarsi di disperazione.

"Ne vuoi parlare, Laura? Non sono male ad ascoltare, sai."

"Mmm, stranamente mi va, e sì, penso che potresti non essere male, Terry. È una lunga storia triste, sei sicuro di volerla sentire?" C'era uno sgabello, lo presi e le feci cenno di sedersi.

Così inizia la storia che sto per raccontarvi. Non è una storia d'amore con cuori e rose, ma l'amore è il suo elemento chiave e io e Laura ne fummo i principali attori.

~

"Mio padre è ora uno degli uomini più viziosi e spregevoli di Londra, ma non è sempre stato così. Quando corteggiava mia madre. No, non ridere, mi piace quella parola. Significa qualcosa per me, più di quanto "uscire insieme" potrebbe mai significare. Non era comune vedere una donna nera con un uomo bianco. Erano insieme una notte, uscivano dal pub *The Harp Of Erin* a New Cross, quando due ragazzi fuori, appoggiati al muro di fronte, gridarono: "amante delle negre". Papà li ignorò. Lui e la mamma proseguirono verso il punto in cui aveva parcheggiato la macchina. I due uomini li seguirono, continuando a insultarli entrambi.

"Così continua la storia, e io l'ho sentita centinaia di volte: papà aprì la macchina e poi, quando la mamma era dentro, la chiuse a chiave e si voltò indietro per affrontare quei due idioti. Non aveva chance. C'erano altri tre tizi in attesa all'interno di un furgone parcheggiato dall'altra parte della strada. Era stato messo in mezzo a causa di un diverbio che aveva avuto con qualcuno. Diceva che era una storia vecchia, ma non più importante.

"Quando era a terra lo colpirono con mazze da baseball intorno all'inguine, sulla schiena, sulle gambe e su tutto l'addome. Gli ruppero l'osso pelvico, entrambe le articolazioni dell'anca, sei costole, entrambe le braccia e i polsi. Gli perforarono entrambi i reni e gli ruppero la milza, oh, e ovviamente entrambe le gambe, le articolazioni del ginocchio e una caviglia. Peggio ancora, non poté mai più fare sesso. I chirurghi gli dovettero rimuovere tutti gli organi riproduttivi. Anche le sue ginocchia erano irreparabili. Hanno vissuto insieme, mamma e papà, fino a quando non ha potuto zoppicare da solo per la prima volta con le stampelle. Gli ci vollero diciotto mesi per camminare senza. Lo hai visto, Gioiellino, quello è il massimo che riuscirà mai a fare.

"Mia madre avrebbe potuto facilmente avere un aborto spontaneo quella notte, ma non accadde, sono nata circa quattro mesi dopo il fattaccio. Posso solo immaginare il rapporto personale che lui e mia madre avevano allora, ma lui l'amava, Terry, e lei lo amava. Sono durati insieme fino a quando avevo circa tre anni. È la vergogna ad aver spinto papà a diventare quello che è diventato, e la rabbia che ha spinto la mamma a essere quello che è oggi. Combattono, sì, ma è la frustrazione sui loro volti che vedo, non l'odio. Credo ancora fermamente che la mamma lo ami. Lui si vergogna di se stesso quando la trova con un uomo. Vuole stare con lei sessualmente ma non può. Capisci, Terry?"

Feci un respiro profondo e forse per la prima volta nella mia vita esitai per pensare prima di rispondere.

"Ci sto provando, Laura, ma non è facile immaginare come ciò possa influenzare due persone che si amano. Doveva immaginare che sarebbe potuto accadere, soprattutto se se la faceva con la gente sbagliata, e come dici tu stessa, un rapporto di misto non era una cosa accettata allora. Ma lui è rimasto lì, non ha mai usato tua madre come ho appena fatto io. Deve averla amata profondamente per essere rimasto. Un bambino, immagino, avrebbe potuto aiutare, ma allo stesso modo avrebbe potuto esercitare più pressione su entrambi. Non riesco a mettermi al posto di tuo padre e non riesco a entrare nei suoi pensieri, ma posso capire che veda la vita in modo diverso da noi".

Non commentò quello che avevo detto, né interruppe il suo racconto. Per molti motivi avrei voluto che lo facesse.

"A quei tempi era un truffatore, un malvagio, abituato ai pugni e abituato alla violenza, così mi è stato detto, ma soprattutto, era apprezzato da molti uomini più violenti di lui, essendo loro debitori di favori. Quei suoi amici riuscirono a beccare i cinque uomini che gli avevano rovinato la vita. Poi li fece uccidere, molto lentamente e dolorosamente. Mi è stato raccontato graficamente ogni dettaglio cruento, Terry, finché non li ho conosciuti a memoria. I loro corpi sono stati fatti a pezzi, non qui, ma i pezzi sono stati portati qui a bruciare quando avevo quattro anni. Sono stata costretta a guardare mentre, a poco a poco, cinque esseri umani venivano inceneriti in quel forno che uso almeno una volta alla settimana. Nessuno di noi può sfuggire al proprio passato, che è marchiato in profondità nelle nostre anime e spero che tu l'abbia visto oggi negli occhi di mia madre, se non è così ho solo perso il mio tempo e ti ho non ho capito niente di te".

CAPITOLO 5

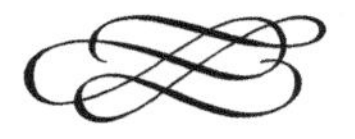

NEL BENE E NEL MALE

Ero nel retro della Rolls Royce. Gary, nonostante le dimensioni, si muoveva silenziosamente come un ghiro e la prima volta che lo vidi fu quando fuori la luce del sole smise di splendere completamente e proiettava una grande ombra sul libro che era accanto a me.

"Papà ha sentito e visto tutto, Terry. Ha telecamere e microfoni in tutta la casa e qui, nel garage. Gli unici posti in cui non le ha messe sono la mia stanza e i bagni."

"Vuoi dire che mi ha visto con tua madre!" Adesso ero davvero spaventato e non riuscivo a nasconderlo. Mi allontanai da Gary, in piedi dietro Laura.

"Sì, Terry." Non c'era compiacimento nel suo tono, semmai una nota di rimpianto trapelava dalle sue parole e il suo viso lo mostrava, ma perché? Mi preoccupai subito per la mia incolumità e i miei occhi tornarono allarmati alla fornace. Capì che avevo paura.

"Non ti farà del male, hai la mia parola. Quando non te ne sei andato, per il tempo che pensava ti sarebbe servito a riprenderti, ha rimandato Gary a controllarti, nel caso avessi un cranio debole e fossi morto. Poi ha aspettato di vedere cosa avresti fatto. Guarda tutto e tutti. A volte, quelli che la mamma riporta su se ne vanno, ma se no, lui la guarda mentre si esibisce in una performance apposta per lui. Normalmente li minaccia o peggio, ma tu sei diverso. È malato, Terry, ma non è un pervertito se è questo che hai in mente. È innamorato di lei e non può mostrarlo in modo normale. Non può lasciarsi andare." Laura si allungò verso di me, prendendomi delicatamente la mano destra e strofinando le sue dita sulla mia pelle, poi fissandola.

"In un certo senso hai giocato delle buone carte quando hai detto che lavoravi per un ministero. Ha riguardato i nastri mentre aspettava. Gary ha frugato nelle tue tasche, ha trovato il tuo portafoglio e ha fatto alcune domande. Sembra che sia interessato a quello che fai. "C'era disapprovazione sul suo viso ma ancora nessun contatto visivo." Il nome di mio padre è Francis. Sii sincero con lui e lui si prenderà cura di te; fallo incazzare e dubito che ti rivedrò mai più. Mi piaci abbastanza, sei diverso. Mi dispiacerebbe non poterti vedere in futuro." Esitò, persa nei suoi pensieri per un momento, poi aggiunse: "Non sei poi così male". Mi lasciò la mano e passò accanto a Gary mentre entrava in casa.

La volta successiva che vidi Laura, eravamo entrambi cambiati.

A quell'età non avevo idea se sarei rimasto a lavorare per il governo o se sarei diventato pilota di linea. Potevo fare qualunque lavoro, per quanto mi riguardava, ma quel giorno, nel retro di quell'auto, smisi di avere opzioni. Francis mi aveva comprato, ma fui io a pagare il prezzo più alto.

Inizialmente non contribuii molto al valore del suo impero alla Rachman. Ero un umile impiegato presso il Ministero degli Interni, principalmente consegnavo file assortiti ai miei numerosi superiori. Non passò molto tempo, però, prima che la sua influenza e il suo denaro accelerassero i miei progressi. Mi fece trasferire dalla casa popolare dei miei genitori a Rotherhithe, con vista sulla chiesa di Saint Mary, a uno spazioso appartamento con tre camere da letto in una casa ristrutturata a Camberwell, non lontano dal

Green. Fedele alla forma, installò subito la sua videocamera e i dispositivi di ascolto.

Mi incoraggiava a vedere Sammy il più spesso possibile e il *Face Club* diventò il mio ritrovo preferito. Ora rilucevo di orgoglio quando ero al braccio di Sammy o meglio ancora, tra le sue gambe.

64 Camberwell Grove divenne il nostro luogo per riunioni regolari, ma non sempre per sesso di tipo normale. Eravamo atleti voraci che si esibivano davanti all'obiettivo di una telecamera pronta a esaminare. In più di un'occasione, dopo aver lasciato il mio letto, udii i suoi passi goffi e il suono stridente di quel bastone da passeggio provenire dal corridoio sotto la porta del mio appartamento. Francis e io non ci siamo mai incontrati lì, non è mai sembrato appropriato a nessuno di noi due. Gli incontri erano ridotti al minimo, sempre nel retro di una Rolls Royce e sebbene i piloti fossero diversi, Gary era il suo compagno costante e, va detto, il suo unico amico.

Mentre facevo carriera solcando i corridoi di Westminster, i miei circoli sociali si allargavano e iniziai a incontrare un diverso tipo di personalità che si trova nelle regioni centrali del potere. Ormai era già da tempo che Rotherhithe, con i suoi sobborghi e la sua gente, era scomparsa dal mio patrocinio. Ora mi mischiavo con un tipo di compagnia in cui, sebbene la gente provenisse da una classe a me sconosciuta in passato, potevo notare che gli uomini avevano gli stessi desideri intrinseci di Graham e Keith e le donne condividevano gli stessi desideri di sesso che avevo io. Usai entrambi i sessi per ottenere ciò di cui avevo bisogno per ripagare Francis e loro mi hanno mi usarono per la loro personale gratificazione.

~

"Allora, mio piccolo amico, ti chiami Terence Meadows e lavori alla sezione immigrazione del nostro stimato Ministero degli Interni. Tutto corretto fin qui, Terence?" Riuscii a pronunciare "sì", ma era tutto quello che potevo dire. Ero spaventato a morte.

"Non poserai mai un pensiero proibito sulla mia Laura, ma penetrerai la mia Sammy su mio comando. Se fai tutto quello che ti chiedo, mi prenderò cura di te in modo paterno. Se non fai come desidero, ti legherò a un'asse di impalcatura e chiederò a Gary di infilarti dai piedi in quella fornace mentre sei vivo. Una morte dolorosa, non credi?"

Quando mi furono dette quelle parole, ero seduto in posizione eretta e fissavo gli occhi di Gary con il viso di Francis a non più di un centimetro dal mio; la sua saliva mi scorreva lungo la guancia. Non aveva bisogno di ribadire le sue minacce, erano ancora ben impresse nella mia mente.

"Non mi servi a un cazzo al momento, ma mi servirai, Terence, ricorda le mie parole, perché se mi deludi, beh; è un litigio tra una fornace e un paio di pinze, non è vero! Non molto da fare, mi penserei. Comprendi ciò che intendo fin qui, vero, figliolo? Studierai, leccherai tutti i culi e fotterai chiunque sia necessario in modo che una piccola questione riguardante i visti possa essere, hmm ... qual è la parola che sto cercando qui, ragazza?"

"Facilitata, capo?"

"È un vero genio il nostro Gary. Sale della terra uno del genere, molto difficile da trovare, Terry, ragazzo mio. Ecco fatto, facilitata, e ora sei di famiglia, Tel. Che ne dici, una ragazza e un telefono? Una GT. Ti dico una cosa, Tel, te ne compro una. Che ne dici di una di quelle sgargianti Ford Capris eh? Ne vuoi una? Non mi aspetto un rimborso immediato del mio investimento in te, Terry, ma mi ripagherai, vecchio figlio, te lo prometto. Oh sì, lo farai."

Quelle ultime quattro parole le disse alzando e abbassando la testa, imitando uno di quei cani giocattolo che saltellano che si vedono dai finestrini posteriori delle auto. Era un uomo spaventoso.

"Tienilo a mente, Terence, prima che ti adotti formalmente in famiglia, per così dire. Se mai ti sognassi di parlare di qualsiasi accordo che potremmo avere, a gente che mi potrebbe essere ostile, allora ricorda quella fornace, eh. Sono gli alti e bassi della vita, capisci. Tutto è una faccenda personale con me, Terry, tutto! Puoi andare ora. Non tornare in casa. Prendi un autobus e vai a casa tua. La macchina sarà con te lunedì mattina, così come Gary, con un altro dipendente e amico. Per inciso, Gary, sai cosa significa "GT" nelle auto?"

"No, non lo so, capo, mi dispiace."

"Penso che stia per Grand Touring", risposi e nessuno dei due fece commenti.

Lunedì giunse e Francis mantenne la parola data. Mamma e papà ovviamente mi chiesero da dove venissero i soldi per l'auto, ma io mentii, raccontando loro una storia inventata da Francis. Gary aggiunse una piccola spiegazione mentre facevo le valigie e l'amico che lo accompagnava mi aiutava.

Negli anni della mia collaborazione con Francis, quell'uomo fu il mio contatto e il principale intermediario. Era irlandese, ma non lo si capiva dal suo accento, era l'unica informazione che condivideva su di sé. Aveva più o meno la mia età, più alto ma di corporatura più snella. Eddie non era mai stato un gran chiacchierone, né una persona molto socievole. Semplicemente un messaggero, sembrava, che preferiva tenersi le sue cose per sé. Non mi disse mai come si fosse invischiato con Francis né mai glielo chiesi. Immaginai semplicemente che ci fosse inciampato, come me.

La mia prima promozione sul lavoro fu una totale sorpresa. Fui urtato, si soleva dire, e passai dalla scala salariale di livello uno al livello tre, con il mio lavoro che cambiava notevolmente. Ero fisicamente responsabile del controllo delle domande provenienti da paesi del Commonwealth considerati come candidati a basso rischio. Avevo sostenuto la commissione d'esame annuale e pensavo che avrei potuto avere successo, ma una tale mossa, di responsabilità e cambiamento di posizione, era al di là delle mie considerazioni. Francis fu contento e mi mandò Eddie con una scatola di sigari Cohiba. Progredivo rapidamente sul lavoro, ben oltre quello che ci si sarebbe aspettato dalla mia età.

Durante questi anni non ebbi "amiche" durature a parte la mio partner sessuale fissa Sammy, ma né lei, né quel fatto, limitavano le mie avventure e la pratica della mia disciplina scelta in tutti i letti che potevo trovare. A dire il vero, mi stavo divertendo, ma non sarebbe durato. Francis aveva dei piani.

"Devi offrire Sammy al tuo capo di dipartimento, Terry, e Gary qui farà le foto di tutti e tre che ve la spassate, ma non è tutto, figlio mio. Quella ragazza che vedi più spesso di tante altre? Come si chiama, Gary?"

"Martina, capo?"

"Posso sempre contare su Gary per un nome. Sì, quella tipa. Devi chiedere alla ragazza di sposarti, Tel. Ascoltami, sono un poeta! La ragazza ... Tel. Bene eh, cosa?" Gary rise, mentre io rimasi in silenzio.

Ero uscito con Martina alcune volte, lei era stata a letto con me più di una volta, in due occasioni per il fine settimana completo, ma non per amore né, va detto, per puro sesso. Mi ero stancato dei ristoranti e delle corse in taxi verso casa. Era una bella ragazza, come lo erano molte. I motivi di attrattiva che aveva per me, rispetto alle altre donne, erano basati esclusivamente su considerazioni pratiche. Era single e sapeva cucinare, combinazione insolita. Le sposate andavano sempre a casa a cucinare per i mariti o i figli e senza dubbio si annoiavano a letto. Ci eravamo conosciuti al lavoro dove trovavo la maggior parte delle mie conquiste.

. . .

Era una delle segretarie legali impiegate nel Ministero dell'Interno e, parlando correntemente tedesco e francese, si occupava dell'ufficio Africa e delle numerose applicazioni da quel continente. Il nostro lavoro si sovrapponeva in alcuni punti. Sua nonna materna era stata una rifugiata e suo nonno, un prigioniero di guerra laggiù. Si erano sposati e si erano stabiliti appena fuori Londra, a Essex, e così via, avevano un cane di nome Winston. Doveva essere una famiglia di una confusione infernale, forse terribile come quella di Laura. Chissà cosa mangiavano per cena!

Martina era una forza tra le lenzuola, eccitante e stimolante, ma pur tenendo conto di ciò e delle sue abilità culinarie, del suo bell'aspetto e della sua intrigante storia familiare, l'idea di sposarla non mi passava nemmeno per l'anticamera del cervello.

In un primo momento era stata la paura che aveva controllato i miei pensieri e le mie azioni portandomi ad accettare tutte le richieste di Francis; il che valeva ancora, ma un altro aspetto di quel negoziato era il denaro. Ero stata attento a non cambiare troppo il mio stile di vita esteriore e ogni volta che mi chiedevano della nuova auto che guidavo o dell'appartamento in cui vivevo, restavo fedele alla storia che Francis mi aveva ficcato in testa.

"Hai vinto soldi alle scommesse, Terry. Per essere precisi, ed è meglio esserlo, Tel, è più convincente, hai vinto una Yankee giovedì al Royal Ascot. Dai un nome alle razze e ai cavalli. Ecco l'elenco, imparalo a memoria, figlio mio. Ricorda la tua puntata e le quote su tutte e tre le gare. Hai risparmiato per anni. Tutto è kosher con la schedina che ti ho dato poiché l'allibratore di pista non è più con noi. Dio abbia in gloria la sua anima."

A quel punto si era fatto il segno della croce, e trovai la cosa affascinante quanto tutto quello che mi diceva.

"Doveva ad alcune persone una notevole quantità di denaro, quasi quanto tu già mi devi. Se ricordo bene qui, Gary, e mi correggo se sbaglio, quel povero stronzo è stato investito nel parcheggio alle gare di Doncaster qualche mese fa. Non hanno mai trovato l'autista dell'auto, vero, Gary? Comunque, non è né qui né là! Hai aperto un conto in banca presso l'Allied Irish a New Cross Road con le tue vincite, nessuna preoccupazione perché il manager è nelle mie tasche, poi hai iniziato a vivere con un po' più di agio. Quindi, è tutto a posto, Tel. Vantatene un paio di volte. In questo modo sembrerai un idiota montato di testa, il che va bene perché le persone con cui avrai a che fare comunque non ti apprezzeranno certo per il fatto che guidi una macchina appariscente."

Mi ci fece iscrivere quel giorno gli anni passarono, mi abituai più facilmente ai lussi della vita che a qualsiasi paura che mi tratteneva nelle sue tasche quanto quel direttore di banca.

Quando mi disse del mio imminente matrimonio con Martina, eravamo parcheggiati accanto alle alte mura di mattoni rosso scuro del cimitero di Brockley con la pioggia battente che enfatizzava l'umore depresso in cui mi trovavo. Mentre ascoltavo la sua ultima interferenza nella mia vita, la paura tornò a farsi sentire

"Oh, un'altra cosa, Terry, prima che mi dimentichi. Incontrerai di nuovo Laura, in un futuro non troppo lontano e ricorderai quello che ho detto di te e di lei. Metti su mia figlia qualsiasi parte dei tuoi pensieri rognosi, squallidi, tormentati dal sesso, poi la minaccia di Gary che ti taglia le palle e te le ficca in gola diventerà realtà. Mi capisci su questo punto, figliolo?"

Mi aveva appena indotto in tentazione.

Quattro giorni dopo consegnai al mio capo di dipartimento, Andrew Wilson, un fascicolo di domanda approvato contenente cinque fotografie di Sammy, nuda e che mi succhiava il cazzo che avevo scattato con una Polaroid.

"Che cos'è questo, giovane Meadows, li ha presi da qualche rivista zozza, vero?" chiese innocentemente.

"No, capo, è una gnocca che conosco che non riesce a smettere di succhiare il cazzo. Se ne hai voglia, posso organizzarti facilmente un servizietto. È molto accomodante per quanto riguarda queste cose. Chiedimi qualunque cosa e la farà"

La settimana dopo, Eddie stava scattando le foto di noi tre in ogni posizione sessuale possibile, da un minuscolo buco nel soffitto sopra la camera da letto del mio appartamento a pagamento. Un altro chiodo nella mia anima mortale e l'inizio della fine per Andrew e per l'integrità dell'immigrazione in questo paese. Francis gestiva tutta una importazione di clandestini per soddisfare le sue richieste di lavoro, requisiti di locazione e qualsiasi altra cosa di cui aveva bisogno. Molti collaboratori del servizio civile di questo paese dovevano seguire le orme di Andrew Wilson.

. . .

I miei progressi attraverso i dipartimenti governativi continuarono a un ritmo rapido. Fui nominato assistente capo del National Procurement Hub con responsabilità per l'acquisizione di beni, servizi e lavori da una fonte esterna, poi prestai servizio nell'inchiesta iniziale per l'inaugurazione di un'agenzia antifrode. Francis era soddisfatto di tutto ciò.

Negli anni successivi avvennero enormi cambiamenti nella mia vita personale. L'indirizzo di Camberwell era una specie di bordello con me e Sammy a gestirlo, non solo esibendoci con, o per, altre persone di entrambi i sessi, ma fornendo alle ragazze una lista di clienti esclusiva che avevo raccolto da tutto il servizio civile. Mi ero trasferito da quell'indirizzo e vivevo in un palazzo rivestito di vetro pieno di appartamenti lussuosamente arredati sulla riva sud del Tamigi, con vista sul Parlamento.

Incontrai Laura undici giorni prima di sposare Martina a Caxton Hall, Westminster. Mancavano tre settimane al mio trentesimo compleanno. Due giorni dal decimo anniversario del nostro primo incontro.

Il citofono suonò quattro volte prima che riuscissi ad entrare, ma sapevo chi fosse molto prima di allora.

"Spero che tu sia pronto, Gioiellino. Mi dispiace di essere un po' in ritardo, il traffico era orribile."

"Vuoi venire su?" era tutto quello che potevo offrire come benvenuto, mentre osservavo quella donna raffinata dalla telecamera esterna in uno stato a metà tra l'allarme e il giubilo.

A quanto potevo vedere non era cambiata molto nei dieci anni trascorsi, solo la colorazione dei capelli era cambiata. Sebbene l'immagine fosse allungata in alcuni punti e schiacciata in altri, aveva mantenuto la sua naturale bellezza.

"No, non posso. Non c'è abbastanza tempo per ascoltare le tue storie, siamo a corto di tempo. Spero che tu sia prontissimo per partire. Posso lasciare il motore parcheggiato qui, Terry? Pensavo di parcheggiare all'aeroporto ma come ho detto; non c'è tempo." Lo stesso sorriso che ricordavo le illuminava il viso mentre cinguettava. Ero estasiato dall'eccitazione.

"Sì ad entrambi, Laura. Sarò lì fra due minuti." Ero agitato e confuso, così pieno di emozione che ero sconclusionato.

"Va bene, prendo le mie cose, chiudo a chiave e ci vediamo davanti alla porta. Vado a fermare un taxi e ci vediamo lì, okay?" Irradiava felicità ma non potevo rispondere come volevo.

“Ah”, gridai nel ricevitore come a ripensarci, “è bello vederti.”

“Anche per me è un piacere vederti dopo tanto tempo, Gioiellino. Beh, sentirti quanto meno.” Lei rise e se ne andò. Non abbastanza lontano però!

CAPITOLO 6

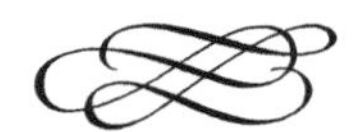

PRECAUZIONI

I trenta minuti di auto verso Heathrow passarono rapidamente con piacevoli scambi di opinioni su come le cose fossero andate nella vita a entrambi, ma la banalità di tutto ciò mi stava uccidendo. Non riuscivo a fare a meno di paragonarla sia a Sammy sia a Martina, sapendo però con chi volevo davvero stare: lei.

Il nuovo colore dei suoi capelli le cambiava completamente la carnagione. Nei miei ricordi i suoi capelli erano di una semplice tonalità di castano, ma qui accanto a me, con il sole di mezzogiorno alla sua sinistra che proiettava ombre delicate, erano di un color sabbia marrone; rosso giallastro, quasi uguale al mio. La cosa mi lasciava perplesso e, sebbene avessi fatto i miei complimenti per la scelta, non intendevo menzionare la somiglianza, né lei fece commenti.

Durante la nostra permanenza in aeroporto, e ancora durante le due ore di volo per Roma, i nostri argomenti di discussione non si concentrarono mai su cose di natura intima, salvo due cose. Sammy mi aveva detto che Laura aveva lasciato la casa a Mottingham ma non aveva mai detto dove si era trasferita. Laura me lo disse, però. Raccontò di come aveva acquisito un'attività, che stava andando bene con sei dipendenti che contribuivano a trasformare la sua creatività in denaro, e si era trasferita in una scuderia appena fuori Kensington Church Street. Stava andando tutto bene nella sua vita professionale, ma non abbastanza in quella privata.

"Mi sono quasi sposata l'anno scorso. Ho scoperto appena in tempo che stronzo fosse." Rideva, non in modo esilarante, ma autoironico.

"Mi sposo anch'io, Laura, due sabati dopo il nostro ritorno." Avevo perso del tutto la cognizione del tempo, la capacità di comunicare e a quanto pareva anche di fare attenzione ai guai. Non era la verità, ma era il modo in cui stavo reagendo in sua presenza. Ero stato preso a pugni senza davvero darci dentro; avevo perso!

"Me l'ha detto mamma, Terry. Mi aggiorna sulla tua – come dire – posizione, nello studio di papà. Ti stai comportando bene, ho sentito." Notai un leggero tono di presa in giro, o forse ero solo in una condizione impotente di insicurezza?

"Com'è, allora, questa ragazza che stai per sposare?" Mancava un'ora al volo quando Sammy fu menzionata per la prima volta e ora, pochi istanti dopo, anche Martina fece capolino nel nostro discorso. La mia vita si stava facendo affollata.

"Non vedo molto tua madre oggigiorno, Laura, siamo andati per la nostra strada. È più sotto l'influenza di tuo padre che mia." Decisi di lasciare la mia futura moglie a un po' più tardi.

"Allora siamo in tre. Se poi consideri anche il resto dell'esercito di papà e dobbiamo contarne più di cento. La sicurezza è nei numeri secondo te, Terry, o siamo tutti sulla strada dell'oblio con lui al timone? Hai già visto degli iceberg?" Guardò le nuvole, forse cercando lì una risposta.

Non c'era alcun sorriso a illuminare quel bel viso, né si nascondeva nel sarcasmo dietro quegli occhi che erano intensi come ricordavo, mentre si voltava a guardarmi. La fissai, ipnotizzato e incapace di distogliere lo sguardo. Vidi lo stesso dolore di Sammy, quella prima volta che ho feci sesso con lei, una persona morta.

"L'idea è di papà, intendo il matrimonio, Terry, o all'improvviso volevi piantare radici e diventare un marito felice? Hai voglia tornare a casa a mangiare carne e tre tipi di verdure ogni sera, facendo sesso il martedì e il venerdì nella posizione del missionario, vero? Non sei tu, non credo, a meno che tu non sia stato colpito da un fulmine mentre giocavi a golf in uno dei suoi club esclusivi, ovviamente. Questa è sempre una possibilità; ma non mi convince. Sapevi di me e del ragazzo con cui ero a un centimetro dal fare il grande passo?"

"No, non lo sapevo. Nessuno me l'ha detto." Fui sollevato che avesse diretto la conversazione lontano da me.

"Guarda un po', non sono sorpresa! Era un tipo abbastanza gentile, o almeno così pensavo. Si chiamava Roy. Un tipo paziente, tranne per il fatto che non poteva resistere alla ragazza che papà gli aveva portato. Una giovane sventola con una buona testa e grandi tette. Lo ammetto anch'io. Ben vestita. Intendiamoci, non aveva molto da togliersi nel filmino che hanno girato. Tutto filmato, persino quando lui le veniva in bocca. Ho visto l'intero film, Gioiellino, dall'inizio alla fine, poi l'ho bruciato.

"Tre volte l'ha scopata, poi mi ha detto che era stato un errore. Gli ho chiesto, dolcemente per cominciare, come fai per sbaglio a infilare tre volte il tuo cazzo nella figa di una ragazza e poi a farti succhiare il cazzo due volte? Papà era lì quando gliel'ho chiesto.

Stava ridendo a crepapelle, papà intendo, non Roy. Lo stavo picchiando così forte che non mi sono nemmeno accorta che mi sanguinavano le mani. Guarda, mi sono spezzata il mignolo."

Volevo migliorare la situazione, non solo quella del dito che aveva delle protuberanze su entrambe le articolazioni, ma la sua mente contorta e angosciata. Suonerà melodrammatico, lo so, ma la voce che parlava non era collegata alla bocca da cui proveniva, era da qualche parte che nessuno aveva visto prima, la sua anima interiore ormai morta.

"Sai perché sei qui, vero, Terry?"

"No, non so nemmeno cosa dovrei fare né cosa stai facendo. Tutto quello che mi ha detto è stato di prendermi cura di te, come se fossi mia sorella, insieme al normale avvertimento di starti alla larga."

Sorrise, lasciandomi che mi chiedessi il perché.

"La parola *deformato* è fatta a posta per lui. Non lo hanno mai colpito in testa quel giorno a New Cross, ma il cervello gli si è deformato proprio come il resto del suo corpo. Lascia che ti spieghi perché noi due viaggiamo verso la Città Eterna. Papà vuole annullare il suo matrimonio, non perché vuole risposarsi ma perché ha detto; libererà la mamma. Sono entrambi cattolici, sai. Ha mandato un carico di carte a un cardinale a Roma circa tre mesi fa. Ora io vengo inviata per concludere l'accordo, per così dire. Questa sera sarò una specie di avvocato in un'udienza speciale in Vaticano. Dai all'uomo in tunica tutto il necessario per guarire il cuore sanguinante. Sei stato mandato perché ho chiesto di te. Avrebbe potuto dire di no e mandare qualcun altro, ma sta giocando con le nostre menti, Terry, come fa con tutti. Supponiamo ora che io abbia ragione, e che sia stato papà a dirti di sposarti. Scommetto solo che ti ha detto che prima o poi mi avresti visto. Ho ragione?"

"Più che esatto. Dove vuoi arrivare, Laura? Che ha qualche altra motivazione che segnare il mio decennio, permettendomi di vederti?" Finalmente avevo trovato il coraggio di ammettere quanto fossi contento di essere in sua compagnia.

"Esattamente giusto, Gioiellino, è così. Lui sapeva che Roy non poteva resistere a quella ragazza che gli aveva mandato, ecco perché lo ha fatto. Ho sfogato la mia frustrazione sul viso di Roy, ma era mio padre che stavo colpendo. Sa che questo annullamento farà naufragare la mamma. La ama, come ti ho detto tempo fa, ma gioca con l'amore, pensando che l'amore e il possesso siano la stessa cosa. Lui mi ama. Pensa a te come al figlio che non ha mai avuto. Me l'ha detto, Terry. Quanto è pervertito! Ti guarda scopare sua moglie mentre immagina che voi tre siate imparentati. Leggermente contorto, non credi? Ci vuole vicini perché sa che provo dei sentimenti per te. L'ho detto a mamma. Mamma – sia benedetta – glielo andò a dire. È una roba potente per lui, è ciò che lo eccita."

Sì, avevo sentito bene. Provava dei sentimenti per me.

"Non mi conosci abbastanza bene da provare dei sentimenti, Laura. Sono passati dieci anni da quando ci siamo incontrati." Questa era la portata della mia risposta. Ero in uno stato di shock assoluto e totale.

Si sedette per bene con lo schienale della sedia, guardando nello spazio davanti a sé.

"So tutto quello che c'è da sapere su di te, Terry, perché il padre malato che ho mi ha raccontato ogni dettaglio e gli piaceva raccontarmelo. Ha lasciato delle foto di te quando è venuto a trovarci a Mottingham. Poi, quando mi sono trasferita e lui è venuto a Kensington, ha portato altre foto insieme ad alcuni dei suoi amici per intrattenerli con le sue abilità di fotografo. Penso di averti visto scopare in ogni modo possibile in quelle orge che tu e mamma avete tenuto. Ama la fotografia, mio padre, e ama mettersi in mostra. Gli ho messo io in mente l'idea che tu dovessi venire con me. Ha accolto l'idea con entusiasmo; sapevo già che l'avrebbe fatto. Mi ero innamorata della tua gentilezza, Terry, la prima volta che ci siamo incontrati. Allora avevi un grande cuore e non credo che ora tu sia cambiato di una virgola. La mamma si è odiata per averglielo detto quando si era resa conto di cosa io provassi per te. Immagino sia stato più o meno in quel periodo che ti ha detto di sposarti. Conosco il suo nome, Terry, e sapevo che il tuo matrimonio sarebbe stato una settimana a partire da sabato prossimo. Ecco perché ho scelto questo giorno e perché faremo una lunga chiacchierata; dopo che avremo visto anche altre cose."

Lei gonfiò le guance, espirando una lunga boccata d'aria come se fosse un pesante macigno di cui si fosse liberata.

"La mamma è stata molto addolorata per un bel po' di tempo. Se ricordi, è stata nell'elenco dei dispersi per un paio di settimane, qualche tempo fa. Ha detto a te e a lui che era una vacanza che stava recuperando, ma lei si stava nascondendo. Si nasconde nel loft di casa. Comunque, all'inizio pensava che fosse solo un'infatuazione la mia, ma è durata dopo tutta quell'angoscia derivante dalle foto. È stato allora che ha capito che era tutto vero ed è stato allora che ha escogitato un piano. Papà le disse che aveva in mente la cosa dell'annullamento un paio di anni fa. All'inizio la prese in giro, dicendo che se non avesse continuato a fare quello che aveva fatto, allora sarebbe andato fino in fondo. Quando gli ha obbedito, ha detto che l'avrebbe fatto comunque. Non poteva averla vinta, lei. Che cosa terribile vedere l'amore trasformarsi in odio, Terry, non restare con lui se questo dovesse accadere anche a te e Martina.

È stato papà a dirmi il suo nome, era entusiasta nel raccontarlo."

Ora mi aveva completamente confuso, di nuovo.

"Deve aver avuto un rimorso di coscienza o qualcosa del genere, mentre dava alla mamma giustificazioni come il denaro e la nostra casa, tutto sistemato a suo nome. L'ha liberata dal club, ma poi l'ha portata via spingendola giù in quel tuo posto a Camberwell, dove si sentiva come un animale in mostra, che faceva numeri da circo su suo ordine. Lei è come me e te, Terry, in trappola. Io so di esserlo già da quando ho visto quei corpi bruciati, ma per la mamma, beh, aveva altre idee sull'amore, le riconciliazioni e roba simile. Quanto a te, se non sei già arrivato da solo a capire di essere in trappola, allora credimi: lo sei."

Smise di parlare, non perché fosse esausta per la stanchezza, ma perché una grossa parte di carico emotivo era stata sollevata. Temevo che sarebbe successo molto di più. Avevo il suo stesso umore e ho cercavo di capire come si sentiva nei miei confronti. Era sincera o, come suo padre, mi stava usando? Aveva ereditato quelli che lei stessa aveva chiamato i suoi trucchi della mente per controllare le persone? Non osavo parlare del mio amore, ma una parte di me aveva così disperatamente bisogno di farlo. Avevo tenuto per me le mie vere emozioni troppo a lungo che ormai non ero più grado di mantenere quella posizione.

"Se provavi quelle cose per me, Laura, perché non l'hai mai detto, e perché avevi intenzione di sposare qualcuno di cui non potevi innamorarti davvero?"

Fece una piccola risata, poi si voltò di nuovo verso di me e disse: "Non potremo mai stare insieme, Terry, se non per questi pochi momenti. Approfittane perché ho intenzione di farlo. Cos'è che hai usato come battuta un tempo, una cosa che hai detto a mia madre una volta, qualcosa riguardo al ballo, no?"

"Wow, questo risale a un bel po' di tempo fa, ma sì, l'ho detto." Ridacchiai, come se nella mia mente non ci fosse più nient'altro. "Chiedevo a una ragazza se volesse ballare, sapendo benissimo che doveva aver sentito quella domanda mille volte, ma invece di aspettare una risposta, la tiravo direttamente a me. 'Ballare, non qui però. Voglio dire, balliamo a letto perché mi piace muovermi su e giù. Non è vero?'"

"Bella battuta, Terry. No, onestamente, dico sul serio. Al punto, quindi non perdiamo tempo con gente senza speranza. Fai un passo indietro e poi andiamo avanti. Perché no?" Senza muoversi mi toccò la mano e mi sentii di nuovo un adolescente toccato per la prima volta da una donna. Stavo sorridendo dentro e fuori.

"Terry Meadows, ballerai con me stasera, spero che tu abbia portato della protezione con te. Sono stata felice di vedere che hai preso precauzioni con tutte le ragazzette e con mia madre, ma non preoccuparti se ti sei dimenticato di metterle in valigia, ho una valigia piena, quanto basta per accompagnarti stasera e domani. Aveva un ampio sorriso sul viso e avevo dimenticato quanto meravigliosa questo la facesse sembrare.

Ero partito impreparato a tutto questo!

"Dovrai raccontarmi tutto di Martina, Gioiellino. Non vedo l'ora." Disse quelle ultime quattro parole guardandomi direttamente in un modo così strano che feci fatica a capirne il significato.

"Non hai mai detto se davvero ti piace il mio nuovo colore di capelli, Terry, la tua lingua si è persa da qualche parte, vero? Ho scelto il colore appositamente per te. Immagina solo se fosse reale, quali deliziosi bambini faremmo."

"Spero che non sia un'altra sorpresa che hai in serbo per me, Laura, ne ho avute in abbondanza per un giorno solo."

. . .

La sua forte risata fece voltare alcune persone, che sorrisero nella nostra dire-zione.

Quando si accesero le luci per segnalare l'atterraggio ed entrambi stavamo per allacciarci le cinture, i nostri volti stavano quasi per toccarsi. Mi chinai in avanti a coprire il piccolo spazio che ci separava e la baciai. All'inizio dolcemente, ma poi in modo incontrollabile, come se una diga fosse scoppiata a sciacquare tutto davanti a sé con la sua potenza di cascata. Le tenni la testa, sentendo la morbidezza dei suoi capelli tra le mie dita mentre la mia mano viaggiava attraverso il suo cuoio capelluto e intorno al suo orecchio. Le lingue si nutrivano con foga l'una dell'altra e i denti sbattevano. Ci scambiammo quei piccoli morsi delicati sulle labbra tipici di due amanti che, appena fidanzati, per la prima volta si trovano da soli nella stessa stanza. Aveva un sapore di liquirizia. Dolce e zuccherino e profumato di legno di sandalo e limoni. Riuscivo ancora a ricordare chiaramente la fragranza del profumo che indossava dieci anni prima, anche se questo era diverso, più maturo e sensuale. Era cresciuta ed era diventata una donna.

Le mie mani erano ovunque. Le accarezzavo la guancia delicata, la fronte e il mento morbidi, le braccia e le spalle sode. C'era un piccolo nodulo sulla parte posteriore del suo collo, le mie dita lo circondavano, mentre pensavo ai suoi capezzoli. Non ne avevo mai abbastanza di lei. Sentii la sua mano gentile sul mio viso e premetti contro di essa, cercando di saldarla lì e non lasciarla mai andare. Volevo strapparle i vestiti e toccare la sua pelle, baciarla e assaporarne ogni parte. All'improvviso si staccò e una fitta di colpa mi colpì duramente al petto, come se fossi andato a sbattere contro un lampione.

"Cosa c'è che non va?" Chiesi, sconcertato e spaventato di essere stato troppo ossessionato dal mio stesso piacere, non preoccupandomi abbastanza del suo.

"Non c'è niente che non va, Terry, o meglio... tutto. Come ho detto, sai che niente di buono verrà da questa storia, vero? Questa cosa di una notte, un giorno sarà tutto ciò che avremo mai avuto. Deve finire quando torneremo a Londra." C'era un cipiglio profondo e aggrottato su quella fronte ampia con un'espressione seria e preoccupata in quegli occhi color nocciola.

"Non vedo perché, Laura. Sono innamorato di te sin dal primo secondo in cui ti ho vista. Ora mi dici che provi lo stesso. Devo dire che è stata una sorpresa. Allora perché no, se ci amiamo? Perché non può durare se lo vogliamo entrambi? Sei preoccupata che tuo padre mi tiri addosso una ragazza nuda? C'è un vecchio detto: perché accontentarsi di un hamburger se a casa c'è il filetto?" Sorrisi e lei fece altrettanto.

"Adesso che ho te ho più paura di perderti di quanto non ne abbia di Francis." Non fece commenti mentre mi accarezzava delicatamente il palmo della mano.

Il caldo a Fiumicino, l'aeroporto di Roma, all'inizio di agosto mi fece quasi stramazzare al suolo quando atterrammo e ci trovammo sull'asfalto. L'attesa di un taxi mi faceva grondare di sudore. Indossavo una giacca leggera, perché a Londra faceva caldo, ma qui si soffocava. Laura si era aggrappata al mio braccio mentre eravamo al fresco dell'aria condizionata al terminale ma ora, nel caldo ancora una volta, stavo soffocando e cominciavo a mostrarlo. Le minuscole gocce di sudore, sulle sue spalle e braccia nude e brune, erano soporifere in modo intossicante, rendendomi impossibile distogliere lo sguardo da lei.

"Togliti la giacca, Terry, e sbottona quella camicia, sembri non star bene."

"Non sto bene, infatti, non solo perché ho caldo, ma anche per via di me e te. Ho bisogno di una doccia per rinfrescarmi."

"Ne faremo una insieme quando arriveremo." Diede un'occhiata all'orologio. "Dovremmo essere nella nostra stanza per le dodici e mezza, il mio appuntamento è per le cinque e venti. Un sacco di tempo per una doccia e qualsiasi altra cosa di cui potremmo aver bisogno."

. . .

Ignorai la suggestione e pensai direttamente all'esplosione.

"La nostra stanza! Francis mi ha detto che aveva prenotato due stanze. Ne ha fatto una questione di principio. L'ha proprio sottolineato infatti. Ha detto che in nessuna circostanza sarei dovuto andare in giro. Di giorno o di notte, testuali parole!" Esclamai scioccato.

"Non preoccuparti, non è qui, dopo tutto, e in ogni caso te l'ho detto, io e mamma abbiamo un piano. Ho tutto sotto controllo, fidati di me."

"No, tu hai detto che tua madre aveva un piano, e per quanto riguarda le mie preoccupazioni, non hai pensato che saprà tutto quando arriverà il conto se non prima, in caso telefoni. Non deve essere per forza qui per scoprirci." Avevo fatto quello che mi aveva suggerito e mi ero tolto la giacca, ora la camicia mi stava attaccata, ma ero tornato completamente in me. Mi tirò fuori la camicia dalla cintura dei pantaloni, prendendosela comoda mentre la sollevava dal davanti, poi, appoggiando una mano fresca e rigenerante sul mio stomaco e l'altra sul mio petto, continuò con la sua spiegazione.

"Ho un piano per tutto, Gioiellino." Si piegò leggermente in avanti, sussurrandomi all'orecchio mentre le sue dita mi tiravano la cintura. "Sono ancora vergine, Terry. Prenditi cura di me."

. . .

A ventotto anni era ancora vergine!

Facemmo sesso sotto la doccia, poi facemmo l'amore nel nostro letto, mentre allo stesso tempo io mi prendevo cura e davo piacere a un corpo sublime di maestosa bellezza. Per quei pochi momenti gloriosi fui in grado dimenticare cosa mi attendeva il mio ritorno, ma più tardi, quando ci sdraiammo insieme a guardare nel vuoto con pensieri che nessuno di noi due osava condividere, iniziai a sperare davvero che avesse un buon piano. Ne avevo assolutamente bisogno!

CAPITOLO 7

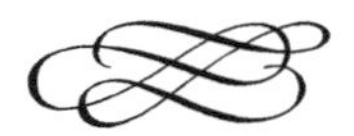

L'appuntamento durò più a lungo di quanto avessimo previsto, ma spiegò le ragioni di quanto accadde dopo. Prima, al suo ritorno, eravamo famelici l'una dell'altro sotto, la doccia, con l'acqua che scorreva e poi, di nuovo, gentili l'uno con l'altra sul nostro letto. Ero sempre stato in albergo durante la sua visita in Vaticano che, a parte il viaggio da e per l'aeroporto, con un breve scorcio sul Colosseo, era tutto quello che avevo visto di Roma. Non volevo distrazioni da lei.

Fu dopo cena che seppi del suo piano. Alla fine di tutto si addormentò pacificamente, lasciandomi sdraiato lì almeno per un'altra ora, a preoccuparmi dei miei colleghi, finché la lunga e difficile giornata non mi esaurì del tutto e il sonno mi sopraffece. La mattina mi svegliai spaventato.

~

Tornammo a Londra giovedì sera presto e il nostro commiato, nel parcheggio di Parliament View, fu ricolmo di lacrime e di dolore lancinante per entrambi. Avevamo condiviso così tante parole, eppure sembravano esserci ancora milioni di cose non dette e fiumi di lacrime da piangere.

"Ho avuto quello che volevo, Terry. Ho assaporato il vero amore e la vera vita. Non può andare meglio di così. Fai quello che ti ho detto di fare e starai bene. Sposa la tua Martina, crea una famiglia e vivi a lungo. Se la ami la metà di quanto ti amo io, sarà una ragazza molto fortunata. L'amore non muore mai, Terry, a volte si perde soltanto."

Avevo il resto di quella notte e venerdì per mettere insieme tutto ciò che Laura mi aveva detto prima che il fine settimana mettesse fine a quelle opportunità. Avevo mandato un messaggio a Martina un paio di volte e avevo deciso di incontrarla quel venerdì sera. Mancavano otto giorni prima del nostro matrimonio e molto meno tempo prima di quell'incontro inevitabile. Quando suonò il citofono, vidi tutti e tre i periodi insieme: il passato di due giorni fa con Laura che sorrideva alla telecamera. Il futuro: la convocazione da parte di Francis, con il terrore di affrontarlo; e il presente: Martina, che suonava il campanello. Ero sia sollevato che deluso.

Il sesso, come ormai avrete inteso, è sempre stato una parte importante della mia vita e quella notte, quel fine settimana, non furono diversi, ma non era Martina con la quale ero felice di condividere quei momenti. Era l'immagine di una Laura defunta incorporata nel mio subconscio. Quel condizionamento della mente rimase con me per gli anni a venire, tuttavia non ho mai deluso nessuna donna in alcun modo per via di questa storia. Era vero il contrario; mi aiutava. Quello che avevo vissuto a Roma era paradisiaco... "Non può esserci di meglio di così" ... Una verità così assoluta espressa in parole così semplici.

Nel mondo pratico della pubblica amministrazione mi ero spostato in alto nella scala del successo, ma quel successo non sarebbe stato sufficiente a sostenere il mio tenore di vita. Ero stato fortunato, non dovendo fare affidamento solo sul mio stipendio. Le mie finanze erano state aumentate dalla pressione esercitata da Francis, con le sue prove fotografiche, usate per ricattare coloro che si erano impegnati in attività sessuali con le prostitute che io e Sammy avevamo fornito. Anche Francis ne aveva beneficiato enormemente. Gli dovevo tutto quello che ero diventato. Non sono orgoglioso di quello che mi aveva fatto, ma era tutto quello che sapevo fare. Non avevo intenzione di cambiare da quello stile di vita.

Prima del viaggio a Roma, i miei piani per il futuro erano stati di ritirarmi lentamente dalle attività associate a Camberwell, diventando col tempo un cittadino rispettabile in tutti i sensi. Ora dovevano essere ripensati. Le prospettive di una vita stabile avevano molte attraenti. La stabilità banale e fanciullesca di quel tipo di vita senza soldi, però, non mi attirava. Avevo già una bella somma all'estero e se le cose avessero funzionato, come previsto, avrei fatto di più che sopravvivere. Ma prima, tuttavia, c'era un enorme ostacolo da aggirare.

Le incomprensioni che avevo con Francis erano insormontabili. La mia unica speranza era seguire esattamente ciò che Laura mi aveva ordinato di fare. C'era molto da mettere in atto prima che potessi raggiungere quella promessa libertà dalla paura. Durante quel fine settimana continuavo a riproiettare lo scenario nella mia mente, cercando di trovare difetti e insidie. Non riuscii a trovarne uno, ma non fui così stupido da credere che non ne sarebbe venuto fuori nessuno. L'unica parte del suo piano che era fuori dal mio controllo sembrava essere stata realizzata. Il laboratorio di Laura aveva posto un cartello *Affittasi* sopra le porte e la sua casa a Kensington; era sul mercato.

Eddie mi chiamò il lunedì e quel pomeriggio incontrai Francis nella sua opulenta casa a St. John's Wood.

Aveva un aspetto molto stanco e più magro di quanto ricordassi, non lo vedevo da tempo. L'onnipresente, ma ora tremendamente sovrappeso, Gary lo guardava preoccupato. Pensavo di conoscere la risposta al perché e pregai in silenzio di non sbagliarmi.

"Sono molto turbato, Terence. Mi sembra di aver perso mia figlia e allo stesso tempo sono stato preso in giro. Hai soggiornato nella sua stessa stanza a Roma. Non mi piace pensare a quello che è successo in quella stanza, né mi piace sapere dov'è la mia piccola grande Laura, vecchiaccio. Ti andrebbe di dirci di più di questa terribile situazione? Siamo tutti e due tutti orecchi." Inclinò la testa verso Gary.

. . .

Nonostante il clima fosse caldo ed estivo, tutte le finestre erano chiuse e l'aria condizionata funzionava a pieno regime. Francis sedeva vicino a una finestra a bovindo che dava su un giardino ben curato e decorato, con una coperta di tweed intorno alla metà inferiore del corpo e un maglione di tessuto pesante che copriva la parte superiore. Gary faceva la sentinella, in piedi accanto.

"L'ultima volta che ho visto Laura, signor Hills, era di buon umore e stava bene, infatti mi ha dato questo per lei. È la lettera di annullamento del sacerdote a Roma. Avrebbe voluto darglielo lei stessa, ma sembrava che avesse altro da fare. Credo che Sammy sia a conoscenza dei contenuti ormai."

Al suono del suo cognome Francis cercò di alzarsi. Non aveva avuto successo, ma Gary era andato in suo aiuto e ora mi stava guardando dritto in faccia in modo molto sgradevole! Con grande difficoltà Francis alzò il braccio destro, tendendolo su per fermare l'avanzata di Gary verso di me. Cercavo di sembrare calmo mentre proseguivo.

"L'avrei portata prima, ma ho pensato che avreste voluto vedermi comunque. Pensavo di aspettare "finché non mi chiama". Porsi la busta color cuoio e sigillata a Eddie che, dopo averla passata a Francis, si ritirò per mettersi accanto alla porta chiusa.

. . .

Francis non si prese la briga di aprirla, la gettò semplicemente sul tavolino ingombi accanto alla sua comoda poltrona, sulla quale sprofondò.

"Ti stai prendendo una bella cazzo di libertà con me, amico. Sei tu quello che ha detto a mia moglie di andarsene? Perché anche lei è scomparsa, o è stata Laura su tuo suggerimento?"

"No, no, signor Hills! Tutto questo è opera di sua figlia, questo è tutto un suo piano. Sono solo il messaggero e spero che non prenda troppo male quello che ho da dirle. Non ho la più pallida idea di dove siano andate né Laura, né Sammy."

"Non credo che abbiamo bisogno di coinvolgere qualcun altro con il nostro piccolo problema qui, Gary, vero? Tu ed Eddie potete cavarvela con questo straccio viscido tra voi due, ne sono sicuro. Rendilo estremamente doloroso quando lo fai." Bevve un sorso d'acqua e una pastiglia da uno dei tanti blister accanto a lui.

"Hai intenzione di bruciare tutti i miei pezzi nel forno di Mottingham, Francis, perché c'è qualcosa che potresti voler considerare in anticipo, se ci pensa bene?" Stava funzionando. Ero calmo al punto da essere eccessivamente fiducioso come indicato da Laura.

Ti presterà più attenzione se lo tratterai da pari a pari e non ti rannicchierai né ti lascerai intimidire da lui, Terry. Sii te stesso e sii risoluto.

"Magari c'è... beh, sono tutt'orecchi, figliolo. Intrattienici con qualunque cosa pensi possa interessarmi, per favore. Nessuno mi ha mai accusato di non essere uno che ascolta."

Ecco, questo era ciò che più temevo.

"Ti creerei un grande disagio se non chiamassi un certo avvocato una volta alla settimana per i prossimi tre mesi, signor Hills. Vedi, quell'uomo ha qualcosa su di te che gli ho affidato. Se io non dovessi più essere in grado di farmi vivo, ha istruzioni rigorose per inviare il contenuto, non aperto, alla polizia. Dentro una busta ho documentato tutto quello che ti ho fornito negli anni, insieme a nomi e indirizzi, e in quali reparti lavorano quelle persone, che successivamente hai ricattato per quello che hanno combinato nella proprietà che possiedi a Camberwell. Ora, prima che tu dica, "e allora? non saranno troppo aperti riguardo le loro attività", ho fotografie che sono state scattate per, o da te, belle dettagliate, in quella busta." Stava per parlare, ma io ero più veloce.

"So cosa stai per dire, beh, almeno ho un'idea. "In

che modo tutto ciò mi incrimina?' È giusto?" Cedetti e gli lasciai dire la sua.

"Ah, sei intelligente, Terry." Un largo sorriso tagliente gli coprì il viso. "Ti sei fottuto tutta la vita, figliolo. Quelle tue palle pendono dalle pinze di Gary. Posso già sentire il tuo dolore." Rise e mi indicò. "Che cazzo di stupido stronzo è questo!"

"Scusa, ma non avevo ancora finito lì, Francis. In quella stessa busta ci sono le foto di alcuni tuoi amici criminali molto noti, scattate con te nella cornice. Sono stati uccisi sia a Mottingham sia nella scuderia di Laura. Non sono sicuro che sarebbero troppo contenti di avere i loro nomi diffusi in giro."

Mi fermai un secondo solo per effetto, poi mi allontanai da dove mi trovavo, verso una sedia, dall'altra parte della finestra di fronte a Francis. Eddie era ancora in piedi accanto alla porta. Gli occhi di tutti e tre erano fissi su di me.

"Cosa ne pensi?" Chiesi, quando ero seduto, tremando ancora dentro.

Francis aveva una risata stampata sul viso rideva anche nella voce.

"Non riesco a vedere l'importanza di tutto questo, Terry. Con chi io decida di associarmi non ha importanza per la legge, probabilmente lo sanno già. Mi rendo conto che devi essere sottoposto a una tensione tremenda, ma hai fatto quello che hai fatto con mia figlia nella piena consapevolezza delle conseguenze. Ti avevo detto cosa sarebbe successo, no?" chiese, ancora sorridendo compiaciuto.

"Sì, me l'avevi detto, Francis, ecco perché ho preso queste precauzioni, vedi."

Stavo guardando dritto nei suoi occhi annebbiati, stretti e venati di rosso.

"Quali precauzioni, Terry? Non riesco a vedere nulla che possa disturbarmi in quello che hai fatto. Per favore, muovetevi." Gary scoppiò in una risata, simile al vers di un maiale, mentre Francis muoveva la testa in modo stravagante mentre pronunciava quelle parole, come se stesse recitando su un palcoscenico.

"Oh sì, ora ricordo, ho tralasciato un dettaglio, e questo confonde la situazione. Non ho detto che, insieme alle foto, ci sono alcuni nastri audio di voi che discutete di una o due, come dire, storie non molto piacevoli. Come l'uccisione di un bookmaker che doveva a Mickey Jenkins una grossa somma di denaro. Poi ci fu un'altra discussione su un omicidio intenzionale, con una rapina di gioielli lanciata tirata in ballo come copertura. Quella ha avuto successo, no? L'ho visto io stesso al telegiornale. Peccato per le due guardie che sono state uccise però. Si è anche discusso di estorsione di denaro. Peter Hennessy sembrava avere un rapporto piuttosto amichevole con te, devo dire. Hai bisogno di tempo per pensare alla tua prossima mossa, Francis, se sì, posso disturbarti per un drink mentre stai pensando? Ho la bocca secca."

Eddie mi versò dell'acqua dalla brocca che era sul tavolino disordinato, mentre Francis sedeva in silenzio a guardare fuori dalla finestra. Aveva funzionato, ma c'era ancora molto da fare e, sebbene lo sembrassi, ero tutt'altro che calmo. Sembrava che gli ci volesse un'eternità ma alla fine parlò.

"Perché solo tre mesi, Terry? Mi sembra strano. Cosa c'è, mi sono chiesto, a impedirmi di darti la caccia alla fine di quel periodo, se non prima ovviamente, se manca la busta? Perché, dimmi, caro ragazzo, quella finestra di tempo?"

Era qui che avevo bisogno di mantenere una faccia seria e di sembrare assolutamente convincente. Feci un respiro profondo.

"Oh, c'è una busta, te lo assicuro. Potresti davvero rischiare che non ce ne sia una? Mi chiedo cosa penserebbero di te Frankie Harrison, insieme a suo fratello Steve, se venissero collegati a quella rapina? Ti devo molto, Francis, tutto quello che sono dipende davvero da te. Immagino sia stata una tua mossa premeditata quella di lanciarmi addosso Laura, sospettando come cosa provavo per lei, quando tu sapevi cosa provava lei per me, ma come dici giustamente, ero stato avvertito. Ci sono altre due cose di cui ho bisogno da te, a parte la questione del tempo. Contanti, così come l'affitto del mio appartamento, così posso raccogliere ancora un po' di denaro. Niente oltre la tua portata."

"Avanti, sto ascoltando", rispose, iniziando a far girare ripetutamente il suo bastone che giaceva sulle sue ginocchia.

"Quello che voglio fare è sparire, Francis. Non più di quello. Alla fine di quei tre mesi rinuncerò a tutto ciò che possiedo che incrimina te e i tuoi amici. Non ho alcun interesse per Camberwell e Sammy, beh, penso che tu ed io l'abbiamo danneggiata abbastanza. Laura è fuori dalla mia vita e non tornerà mai più. Scelta sua, non mia. Se fosse stato per me, allora sì, ora starei con lei. Inizierò una vita lontano da te, sposerò Martina e mi comporterò bene. Sono stanco di tutto, Francis. Tutto quello che posso fare è confidare in queste due cose: la prima che è che tu mi perdoni." Alzai le spalle, poi proseguii. "C'è voluto tempo, ma ho fatto bene il mio dovere per te e ti rispetto in un modo strano. Comunque, se non funziona, ecco la seconda: mi allontano abbastanza da farti passare la voglia di cercarmi. Penso che tre mesi dovrebbero essere abbastanza per entrambi, almeno lo spero."

. . .

Scuoteva la testa, senza violenza, ma, ciò nonostante, tremava e non annuiva. Ero preoccupato. Non riuscivo a sentire un suono né potevo calmare il battito del mio cuore. Mi chiedevo se in quel silenzio si potesse sentire. Bevvi un sorso d'acqua e rimasi totalmente sorpreso quando vidi che le mie mani non tremavano.

"Hmm, sembra che tu mi abbia incastrato, Terry, farò come mi chiedi. Ti firmerò il contratto di locazione e ti saluterò con un mazzetto di contanti nel cestino ma," si sollevò in piedi appoggiandosi pesantemente al bastone, con l'altra mano su un bracciolo della sedia. "Se quelle foto e quei nastri non sono qui, accanto a me, tra tre mesi esatti, allora farò in modo che la mia gente ti cerchi ovunque. Non importa quanto tempo ci vuole per trovarti, credimi; Lo farò." Respirava pesantemente mostrando grande disagio.

Non mi fu offerto un passaggio a casa in nessuna Rolls Royce lucida, invece presi un autobus e poi un taxi. Avevo bisogno di tempo per pensare. Fu un viaggio solitario, appesantito da tanti cattivi pensieri, ma ero vivo e avevo una speranza nel cuore, non solo per me, ma per la bambina che Martina aveva detto di portare in grembo. Una cosa che avevo deciso ora stava per accadere. Stavo per assumermi seriamente le mie responsabilità e portare a termine il matrimonio.

Il calcolo di Francis secondo cui la mia rispettabilità esteriore sarebbe stata raggiunta soltanto da sposato, alimentando così le sue ambizioni, aveva ora assunto un significato completamente diverso.

CAPITOLO 8

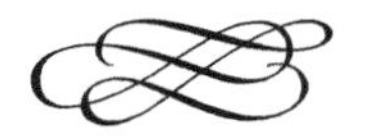

LA VERITÀ

Il nostro aereo avrebbe dovuto lasciare Roma alle quattro del pomeriggio di quel giovedì. Ci eravamo entrambi svegliati presto e assecondammo il nostro amore e la nostra passione senza menzionare Francis e la casa. Non c'era fretta di vestirsi e di visitare le bellezze di Roma, quindi la colazione ci fu servita in camera mentre eravamo sdraiati spudoratamente nudi sul letto, con le finestre spalancate, permettendo alle tende di pizzo per tutta lunghezza, dal soffitto al pavimento, di oscillare grazie alla leggerissima brezza mattutina. Avevo telefonato per ordinare, chiedendo che una sola rosa rossa fosse aggiunta al carrello.

. . .

"Certamente. Che bel pensiero per la giovane signora".

Non avevo la più pallida idea di cosa avesse detto il portiere, ma sembrava a posto e lui sembrava contento. Anche Laura lo era e questo era il punto. Sapevo che ora sarebbe era giunto per lei il momento di approfondire il motivo per cui eravamo arrivati a questo punto della nostra vita e perché non sarebbe potuto durare per sempre.

Questa è il punto che riunisce la mia storia all'inizio del mio racconto, quando ero davanti alla sua bara e sentivo il racconto della sua vita. Guardavo e ascoltavo in completo silenzio perché lei mi affascinava e irritava allo stesso tempo. Ricordo tutto come se fosse ieri, ma purtroppo queste sono le mie parole e non le sue, poiché lei raccontò tutto questo meglio di quanto io possa mai fare.

"Ero una di quelle persone che sapevano disegnare perfettamente un cerchio a mano libera. O anche lo spostamento dell'acqua in una ciotola quando viene colpita da un rubinetto che gocciola. È da lì che mi sono ispirata. Sono rimasta affascinata dalla simmetria del mondo. Poi ho iniziato a disegnare cerchi all'interno di cerchi tutti di dimensioni decrescenti, concentrici, come se fossero stati disegnati con l'aiuto di qualcosa di circolare, ma non era così. Poi sono passata alle tre dimensioni che da un punto di vista ottico conferivano ai miei disegni sostanza invece di lasciarli piatti e poco interessanti; cercavo ancora di ricreare quell'onda nell'acqua." Afferrò il taccuino e la penna dell'hotel e dimostrò la sua abilità.

"Guarda. Te lo mostro." Si sedette con dei tamponi assorbente e la carta appoggiate sulle quelle cosce dalla forma deliziosa e iniziò. Anch'io ero affascinato e non potevo distogliere lo sguardo dall'illusione che lei abbozzava.

"Ho trasformato le coniche in frammenti, i quadrati in ottagoni. Tutto illusorio, ma l'ho fatto bene e sono stato notata per questo. Tanto che quando avevo nove anni papà pagò perché prendessi lezioni di tecnologia, di cui a quei tempi non si era mai sentito parlare. Ho anche frequentato una scuola estiva, solo per prendere lezioni di disegno, di notte durante tutte le vacanze fin quando non superai l'esame finale. Andavo al Goldsmiths College di notte, tre volte a settimana, quando ero al liceo. Stavo ancora frequentando lì quando ti ho incontrato per la prima volta. Allora non mi stavo concentrando sui gioielli, che sono venuti dopo che ho visto tutti quelli di mia madre e sono andata da Harrods un Natale.

. . .

“Papà era su una sedia con Gary che spingeva e io che guardavo tutto con gli occhi spalancati. Normalmente, lui non entrava mai nei negozi. La mamma era lì allora. Quelli erano i giorni in cui non andava ancora tanto male tra loro due. Poteva muoversi sulle gambe ma non abbastanza bene da muoversi in luoghi sconosciuti, era a suo agio solo a casa. Ebbe una discussione ad Harrods e gli fu chiesto di andarsene. Ero così imbarazzata ma avevo solo dodici anni e non capivo bene. Non credo che Gary si fosse davvero distratto e accidentalmente urtato con la sedia a rotelle qualcuno, poiché sentii un uomo gridare oscenità con grande ardore. Non diceva affatto cose carine. Additava papà con nomi tipo spastico e storpio, insieme ad alcuni aggettivi comuni che puoi immaginare e che la gente era abituata a usare, lo ricordo bene. Quando io e la mamma ci voltammo dal bancone in cui eravamo, vedemmo Gary con le mani sotto il mento di un uomo, le sue dita giganti erano avvolte intorno al collo sollevandolo da terra.

“Sarò onesta e ti dirò che ho quasi riso. La sua faccia era bianca come un fantasma e c’erano cerchi rossi e marroni intorno ai suoi occhi. Sembrava che qualcuno gli avesse pisciato in faccia e lasciato due cerchi nella neve. Ho visto i ragazzi a scuola farlo, se ti stai chiedendo come facevo a sapere queste cose. Comunque, Gary afferrò quest’uomo tra le sue gambe, mentre lo teneva su, e in qualche quell'uomo lanciò un urlo violentissimo. Pensavo stesse soffocando e non sarebbe stato in grado di fare alcun rumore. Eravamo stati spesso sul punto di urtare della gente. La maggior parte si era scusata, si era presa le colpe e non aveva causato storie, ma con tutte le urla della sicurezza le persone ebbero la meglio e ci chiedere di andarcene. È stato lì però che mi sono innamorata dei gioielli, che diventarono così il mio campo di design preferito.

"Negli anni ne ho studiato ogni aspetto. Ecco di cosa parlavano tutti quei libri nel garage. Papà ha reso quella casa un posto così meraviglioso per me quando ero più piccola, ma non è mai riuscito a cancellare i ricordi di frammenti di esseri umani messi nella fornace. Ho avuto incubi per anni, e a volte anche adesso vedo un rigonfiamento con un occhio, un naso e un ciuffo di capelli grigi che mi guardano, come se mi incoraggiassero a farlo. Penso di aver portato quel senso di colpa per tutta la vita. Mi nascondevo in una delle quattro camere da letto di casa cercando di sfuggire alle sue accuse. Ora non c'è più nessun posto dove nascondersi.

Come convivresti con una cosa del genere e, cosa più importante, come potrei tenere lontani quegli incubi da qualcuno come te? Roy era diverso. In un certo senso mi ci sono buttata a capofitto, più per comodità che per qualsiasi altra cosa. Mi trattava bene e la vita scorreva pacifica il passo logico successivo da compiere era solo uno: il matrimonio. Avevo ventisette anni, avevo tutto quello che volevo, un marito sembrava essere la prossima tappa. Forse era un'estensione della mia necessità di evadere. Non c'è via d'uscita per me, Terry, ma c'è per te. Se ti ci metti di impegno e ti allontani dalla sua presa, allora avrò vinto. Avrò dimostrato che l'amore può vincere. Credi che sia pazza?"

Fu allora che mi diede i nastri e le fotografie di Francis e dei suoi amici e la storia completa cominciò ad emergere.

"Quando l'ingegnere ha sistemato tutte quelle telecamere nella camera da letto della mamma e nel resto della casa, è stato facile per me procurarmene una di riserva, ma non da lui. L'avrebbe detto a papà. Ho l'indirizzo del posto dove li ha comprati. Vedi, a quel punto avevo circa quindici anni, avevo già un piano ma non sapevo se ne avrei mai avuto bisogno, capisci quello che intendo. Ero ancora molto lontana dall'implementarlo e non avevo le risorse per scoprire come fare, ma è allora che è nata questa idea. Non sono mai stata sicura di conoscere il vero significato dell'amore prima di vedere te, Terry. Amavo mio padre ma sono cresciuta fino a odiarlo e questo è ciò che mi ha spaventata. Magari la sfiducia in me stessa si è attenuata nel tempo, ma avevo i miei dubbi, e ora non sono in grado di valutare se avrei potuto adattarmi. Sto uccidendo mio padre, Terry, e mamma lo sa."

Sto uccidendo mio padre e mamma lo sa. Se ne uscì con quelle semplici parole e all'inizio non ero sicuro di averle sentite correttamente, ma era così. Pensavo che intendesse dire in modo emotivo, in qualche modo incolpando se stessa per averli spinti entrambi a diventare quello che erano, ma non era così.

'Sto uccidendo mio padre.'

Quelle parole mi risuonavano nelle orecchie, come se la dannazione che si portavano dietro trasformasse quell'omicidio in realtà. Era stesa lì al mio fianco, che aspettava una mia reazione. Che cosa direste se la persona che amate vi dicesse che è un'assassina?

Non avevo parole. Se è possibile essere privi di emozioni, allora così ero io in quel momento. Non potrei dare senso a questa affermazione semplicistica e trasformarla in qualcosa di tangibile da dibattere e contro cui discutere. Pregai di aver sentito male e che la spiegazione che stava per iniziare avrebbe cancellato tutta questa ansia. Non fu così. Le cose peggiorarono.

"Ho studiato ogni parte della trafila di scavo ed estrazione dell'oro, Terry. Come vengono usati sia il mercurio che il cianuro per purificarlo, se vuoi, prima che il minerale grezzo diventi ciò che conosciamo come oro. Poi mi sono dedicata a come si può alterarne il colore con il calore e dissolvendo la materia con altri prodotti chimici, come già ti dicevo. È da lì che ho iniziato il processo di colorazione in cui sono specializzata. Ora è arrivato il momento in cui sono improvvisamente cambiata: dall'essere una persona con un problema sono diventata una persona che ha creato un problema a suo padre. Nella sua forma metallica l'oro è inerte e completamente innocuo, ma questa condizione può essere modificata. Quando si fa passare l'oro liquido attraverso le varie reazioni chimiche necessarie e si aggiungono altri minerali e agenti, la sostanza normalmente benigna e innocua rilascia Sali radioisotopi. È da questi sali che possono essere sprigionati alcuni veleni mortali. Uno di essi è chimicamente noto come cianuro di oro di potassio. Uccide se somministrato in quantità molto piccole. Da quando ha menzionato questo viaggio per il suo annullamento, l'ho aggiunto a tutte le bevande che gli preparo. È assolutamente inodore e insapore e, per quanto ne so, non si trova in nessuna autopsia a meno che non sia stato specificamente ricercato. Ci ho pensato anni fa e una notte, quando io e mamma non avevamo niente di meglio di cui parlare, ho detto che potevo estrarre del veleno dall'oro che papà aveva fornito per i miei esperimenti. Ho detto, quasi scherzando, "non sarebbe ironico se lo uccidessi con il suo stesso oro!" Lei rise, ma questo mise in moto questa mia idea. Quindi, anche se ci ho pensato, è anche un piano di mamma. Capisci?"

Non capivo, ma non avevo modo di trasmetterle le mie sensazioni in modo ragionevole. Non era solo surreale, era folle. Non ebbi molto tempo per pensarci, perché c'era dell'altro in arrivo.

"All'inizio colpisce il cervello ma anche, in quantità leggermente maggiori, fegato e reni. Ha forse un paio di settimane di vita, Terry, al massimo.

Ecco un altro guaio nella storia, Gioiellino. Non voglio farla franca con il suo omicidio. All'inizio pensavo di sì, poiché come ti dicevo il cianuro di potassio non è facilmente rilevabile, ma sono un'assassina e non voglio sfuggire alla mia pena, convivendo con questa consapevolezza di colpa. Ti do una settimana per mettere a posto tutto ciò che ti dirò, e poi giovedì prossimo andrò dalla polizia a costituirmi. Non c'è cura medica per lui, quindi posso solo immaginare il dolore che sta per patire nei suoi ultimi giorni, poiché tutti i suoi organi interni stanno collassando. Non c'è mai stata una cura per lui dal giorno in cui ha subito quel pestaggio, Terry. La mamma non sopravvivrà a lungo da sola. Ha bisogno di essere necessaria a qualcuno. Penso che tu sia il tipo di persona che lo capisce. Siete simili, voi due, ed è questo il vero motivo per cui siete rimasti e non siete scappati a un milione di miglia da mio padre.

"La data del tuo matrimonio ha reso perfetta per me l'organizzazione di tutto questo. Quello che ho fatto ti darà abbastanza tempo per iniziare i preparativi per una nuova vita lontano da quello che avevi. Ho detto che sarei venuta qui a presentare il suo caso con grande dedizione, solo se ti avesse mandato con me. Il problema che, a casa, aveva con la chiesa, dipendeva dal fatto che io fossi rimasta con i genitori separati, il che non era considerato l'ideale dal vescovo locale. Sono venuta per perorare la sua causa, dicendo che in realtà era nel mio interesse che si separassero amichevolmente e in buoni rapporti, piuttosto che vivere separati come sono. Ho raccontato al cardinale tutto quello che papà fa fare alla mamma con dettagli molto grafici. Penso di averlo scioccato in molti punti, in particolare quando ho detto che ero costretta a guardare. Questo è ciò che lo ha convinto ad accettare l'annullamento, anche se, ovviamente, non sarà riconosciuto all'interno della chiesa. Ho fatto la mia confessione mentre ero lì, mi sembrava giusto in qualche modo. Mi ha detto che avevo torto a distruggere una vita, ma non mi ha condannata".

Fece un piccolo sospiro di profondo rammarico, ma mi chiesi se fosse per il fatto di aver confessato tutta la verità, o per uno o entrambi i suoi genitori. Non potevo nemmeno essere sicuro che non fosse per il cardinale. Tutto quello che sapevo era che ero innamorato di una donna bellissima e molto triste, ma non avevo alcuna speranza da offrire per salvarla. Improvvisamente, come aveva iniziato la conversazione, la finì.

"Faremo la doccia insieme e faremo l'amore per l'ultima volta, Terry Meadows. Dai, prendi la mia mano. Hai mai visto qualcosa per strada per poi pensare che non la vedrai mai più? Io lo faccio, sempre di più ultimamente. Non ti rivedrò mai più dopo che saremo tornati a Londra, Terry, ricordati sempre che ti ho amato.

"Hai preso anche tu un po' di quel veleno, Laura?"

"Sarebbe davvero esemplificativo, no?"

Ti ho dato il mio cuore incondizionatamente.
Quando sei da solo pensami con tenerezza.
Ricorda le nostre notti ardentemente.
Così rimarrò nel tuo cuore; eternamente.

CAPITOLO 9

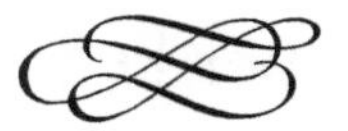

LE ALPI

Martina ed io non avevamo programmato una luna di miele. Avevamo semplicemente pensato di andare in campagna da qualche parte per stare in un hotel idilliaco e fare tutto ciò che fanno gli sposi. Cambiai piani sabato mattina, facendo saltare Martina su e giù per la gioia quando glielo dissi. Sono certo che sospettasse qualcosa di strano nel nostro viaggio a Roma, ma non si soffermò a fare domande. La sua gravidanza era stata uno shock completo. L'aveva scoperto con certezza il mercoledì mattina della mia partenza, dopo una visita da un ginecologo. Consideravo un bambino in arrivo come il dono che avrebbe dato uno scopo a entrambi e, speravo, ci avrebbe avvicinati l'uno all'altra. Era una brava donna con molte qualità, mi stava andando decisamente meglio di quel "sistemarmi e comportarmi bene" che avevo promesso a Francis. Laura non sarebbe mai uscita dalla mia mente, ma per la mia sanità mentale avevo bisogno delle distrazioni che mi venivano da Martina. Aveva ragione, avevo bisogno di essere necessario a qualcuno.

Prenotai i biglietti per la Svizzera annunciando a una Martina felicissima le mie intenzioni di non tornare mai più in Inghilterra. Non le dissi le vere ragioni di quella decisione, suggerendo modestamente che un cambio di direzione, lontano dal servizio civile regolamentare, avrebbe dato impulsi positivi alla nostra nuova vita condivisa.

Fedele alla sua parola, il giovedì mattina Laura si consegnò alla polizia e le immagini del suo arresto furono trasmesse per la prima volta quella sera su tutti i telegiornali, poi scritte sui principali quotidiani il giorno successivo.

Laura Hills, figlia del presunto gangster Francis Hills, accusata del suo omicidio, ma lui è ancora vivo!

Una portavoce della polizia metropolitana stava trasmettendo un aggiornamento sul canale di notizie della BBC venerdì mattina quando mi sintonizzai prima di partire per mettere tutto in moto.

Questa che stiamo intraprendendo è un'indagine senza precedenti poiché la vittima, il signor Francis Hills, sta effettuando una visita medica intensiva mentre parliamo. Finora i risultati sono inconcludenti ma sembrano confermare la presenza della sostanza che la signorina Hills dice di aver somministrato a suo padre. È un veleno particolarmente pernicioso e se causerà la morte dell'uomo, Laura Hills sarà accusata di conseguenza. Grazie per l'interesse. Per il momento è tutto.

Dovetti muovermi velocemente. Quando Francis scoprì che non c'era speranza per la sua sopravvivenza, nessuno avrebbe scommesso sulla mia di sopravvivenza. Pensavo di essere salvo per un paio di giorni circa, poiché dubitavo che sarebbe stato in grado di comunicare sotto gli effetti dei sedativi, ma nulla poteva essere dato per scontato quando Francis era coinvolto. Raccolsi tutti i miei beni mobili e consegnai la vendita a Parliament View a un agente immobiliare, dicendo che i dettagli su dove inviare i proventi della vendita sarebbero seguiti quando avessi deciso dove mi stavo trasferendo.

Non ero un estorsore, non avevo alcun desiderio di prolungare l'agonia che a quegli individui sessualmente deviati provocavano le fotografie imbarazzanti scattate a Camberwell. Nessun crimine era mai stato compiuto in quel luogo. Tutti avevano raggiunto l'età del consenso e nessuno era costretto a fare qualcosa che non desiderava fare. Le diedi via tutte tranne una. Quello di una persona molto importante che aveva quasi raggiunto l'apice della carriera. La tenni nel caso potesse rivelarsi utile.

La mattina del mio matrimonio con Martina, il corpo emaciato di Sammy fu trovato nel loft della casa di Mottingham. Era morta da giorni, così diceva il rapporto e nessun altro era stato sentito in relazione alla sua morte. Fui rattristato da quella notizia ma anche sollevato, poiché finalmente aveva trovato la sua pace. Adesso poteva riposare.

Trovai la mia di pace in una città alla periferia di Zurigo, chiamata Friesenberg. Ci vollero tre settimane per stabilirci in una casa tipo chalet a due piani, tipica della zona. Fu lì che ho letto non solo della morte di Laura, ma anche della sua condanna all'ergastolo dopo la morte di Francis, la domenica successiva al suo ricovero in ospedale. Con i soldi che avevo, aprii una piccola ma esclusiva gioielleria al numero 17 di Alpenstrasse, nel centro del distretto finanziario di Zurigo. Martina mi ha aiutato sin dall'inizio, finché diede alla luce nostro figlio sette mesi dopo il nostro arrivo. È un bel ragazzo ora, ed è vicino al suo diciassettesimo compleanno, un ragazzone tenace dalla mente curiosa e aperta che, credo, un giorno, diventerà qualcuno di importante sul serio. Ha una predilezione speciale per la fotografia.

Sono specializzato in opere d'arte costose, uniche e colorate, realizzate in oro e intarsiate con gemme squisite di ogni tipo. Credo che siano ciò che Laura avrebbe tanto amato vedere e fare da sola. Non avevo bisogno di farlo per mantenere viva la sua memoria, mi è semplicemente venuto naturale, suppongo. Laura ha scontato il suo intero mandato, rifiutando ogni possibilità di rilascio anticipato poiché si è scoperto che il suo cervello era stato danneggiato dallo stesso cianuro di oro di potassio che aveva dato a Francis. La sua era una quantità molto più piccola, così è stato affermato dal rapporto di giornale che avevo letto, che aveva lo scopo di farla impazzire lentamente e deliberatamente. Mi chiedo se quello fosse il suo modo di trovare la pace interiore, lontano dal mondo crudele in cui aveva vissuto la maggior parte della sua vita. Speravo che potesse ancora ricordarsi di me nei suoi ultimi giorni.

Mentre era in prigione le fu diagnosticata una potenziale psicopatia e morì con quell'etichetta addosso. Non gliela riconoscevo, né credo che fosse vero.

Non ho mai parlato di Laura a Martina, con la quale ho avuto due figli prima di partire per venire qui oggi: il primo, ovviamente, e una figlia di quattordici anni. Ho semplicemente mentito, dicendo che era un appuntamento di lavoro che richiedeva la mia partenza molto anticipata da Kloten con il volo delle 7:35 per Gatwick. Martina ed io abbiamo una vita stabile e né lei né i miei figli hanno bisogno di alcuna conoscenza della famiglia Hills.

CAPITOLO 10

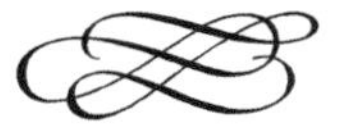

PERCHÉ?

Quando tornai nel mio paese natale, era una giornata deprimente. Quando scesi dal taxi, fuori dai cancelli che conducevano alla piccola cappella nel parco di H.M Prison Send nel Surrey, la pioggia era torrenziale. Non ho mai pensato che fosse giusto in qualche modo guidare attraverso i cimiteri.

Avevo comprato una sola rosa rossa lungo la strada, da un venditore di fiori che faceva del suo meglio per sorridere, ma la combinazione del tempo e, immagino, la mancanza di clienti di lunedì rendevano il suo sforzo ancora più ammirevole. La cappella stessa era vuota a parte la bara aperta ai piedi di un altare spartano, ma in piedi all'interno del portico c'era un giornalista. Lasciai il mio ombrello sullo scaffale accanto alla porta di quercia oscurata, quindi, evitando ogni contatto visivo e domande su come conoscevo la defunta, entrai.

I miei passi risuonavano rumorosamente sul pavimento di pietra, echeggiando nell'umida quiete. Ben presto furono raggiunti da un altro suono, passi più silenziosi dei miei. Un chierico si avvicinò dagli stalli del coro, incontrandomi poco prima del punto in cui lei giaceva.

"Cosa terribile, la morte! Ognuno di noi deve affrontarla a modo suo", mi salutò mostrando saggezza e pratica di quelle faccende. Sotto la tonaca indossava delle scarpe da ginnastica. Trovai questo dettaglio in un certo senso confortante, in un modo oscuro, poiché immaginavo che nel suo lavoro avesse bisogno di affrontare la morte con calma, nel modo più piacevole e confortevole possibile. Seguì la stessa domanda che mi era stata posta alla porta, ma questa volta con un certo grado di più simpatia e molta meno civetteria. Questa volta decisi di rispondere.

"Sì, la conoscevo molti anni prima delle tragiche circostanze della sua prigionia. Era una bellezza assoluta, sa".

"Lo sono tutti, amico mio. Nei nostri cuori se non nei nostri occhi al momento della morte". Luoghi comuni e ammonimenti non erano ciò per cui ero venuto. Decisi però di portare avanti la conversazione.

"C'è un libro dei ricordi, reverendo, che posso firmare o dove posso lasciare un messaggio?" Chiesi, non vedendone uno.

"Temo che le autorità non siano molto accomodanti in queste occasioni. Non lo considerano necessario se non fornito da un parente del defunto. Puoi sempre lasciare un biglietto, insieme alla rosa, nella baram se lo desideri, tuttavia verranno rimossi prima della sepoltura. È ciò che è nel tuo cuore che conta, figlio mio." Cosa poteva sapere lui, con le sue stupidità e i suoi cliché, del mio cuore!

"Era di fede cattolica, padre. Strano vederla disposta in una cappella della Chiesa d'Inghilterra come questa".

"È strano, dal momento che ha scritto agnostica nelle sue memorie. Non abbiamo trovato neanche un parente prossimo, o alla lontana. Tu sei un suo parente?" chiese, ma ancora una volta mi sembrò poco sincero. Semplicemente spuntava tutte le caselle.

Come avrei voluto potergli dire: sì, sono suo marito. Ma non dissi nulla, mentre scuotevo la testa e mi avvicinavo per darle il mio ultimo addio. Volevo essere solo e in silenzio per questo.

. . .

La figura scarna e dai capelli rasati che vedevo non era la Laura che conoscevo. Per me non è mai divenuta altro da quella persona che avevo visto per la prima volta in una calda mattina di agosto ventisette anni fa. Ciò che giaceva nella bara era la conchiglia, all'interno della quale un tempo viveva un enorme cuore di cui mi innamorai. Quell'amore persisteva ancora mentre la guardavo dall'alto. Semmai era più potente con l'ammirazione e il rispetto che si erano aggiunti alla passione. Il chierico se n'era già andato quando mi voltai e la cosa non mi dispiacque, poiché una lacrima stava cominciando a formarsi nei miei occhi. Ho sempre preferito essere triste in privato, piuttosto che cercare di nascondere i miei sentimenti.

Dio stava ancora piangendo le sue proprie lacrime mentre mi avvicinavo alla porta esterna, tornando alla carrozza in attesa e al viaggio di ritorno da Martina e dai bambini. Laura se n'era andata. In qualche modo dovevo accettare ciò che non ero mai riuscito a togliermi dalla mente. Laura ed io non esistevamo più, era giunto il momento di mettere via il suo ricordo. Mi ero perso in quel pensiero quando all'improvviso fui risvegliato dal fatto che il mio ombrello era scomparso dalla rastrelliera dove l'avevo lasciato. Anche il giornalista non c'era. Poi lo vidi, in piedi sotto il mio ombrello rosso e giallo aperto, a una ventina di metri lungo il sentiero di ghiaia che porta all'uscita del cimitero. Stava fumando un sigaro.

Quando raggiunsi il limite del luogo riparato, lo chiamai: "Avresti dovuto portare il tuo, vecchio mio. Avrei detto che voi giornalisti viaggiaste preparati a tutto, anche a un acquazzone estivo." Si voltò, facendosi strada faticosamente nella mia direzione.

"Scusa, Terry. Volevo solo fumare un attimo. Sai com'è al giorno d'oggi, a nessuno è più permesso godersi questi piaceri. "

Terry?

Successe tutto in un nanosecondo, ma mi sembrò un'eternità. Sentii una fitta al petto e poi lo riconobbi.

Momenti fa qualcuno avrebbe detto che non ce l'avrei fatta. Avevano ragione, non ce la sto facendo. Quei ricordi erano trasparenti nella memoria come se li stessi rivivendo in un arco di tempo misurabile dalle lancette di un orologio, mentre rappresentavano quasi tutta la mia vita. Non so se sto per incontrare Laura in una dimensione eterna, perché a differenza di lei non ho mai avuto un lato buono corrotto irreparabilmente. Ho sempre avuto la possibilità di scegliere come vivere la vita che mi è stata data.

Erano passati diciassette anni dall'ultima volta che avevo visto Eddie. Lo avevo dimenticato. Oggi ho notato solo un taccuino, una penna e un badge per la stampa. Ho visto la sua faccia troppo tardi, ponendomi il dubbio solo alla vista della pistola che aveva in mano, ma a quel punto, era troppo tardi perché quel dubbio potesse essermi utile.

Ti ho mostrato un amore che non avevi
visto mai
Grazie alla tua gentilezza per sempre mi
avrai
Ti ho dato lealtà, fiducia e fede.
Ti ho dato un amore che tutto possiede.
Il suo sapore sopravvivrà alla amia morte.
Per tutta la vita mai ne conoscerai uno così
forte.
Allora quando ci incontreremo in quel luogo
destinato,
Ricorda il battito forte del tuo cuore amato.
Ci ameremo per sempre e saremo tutt'uno,
Quando i nostri giorni sulla terra non saran
più di nessuno.

Fine

Caro lettore,

Speriamo che leggere *Perché? Un Amore Complicato* ti sia piaciuto. Per favore, prenditi un attimo per lasciare una recensione, anche breve. La tua opinione è molto importante.

Saluti,

Daniel Kemp e il team Next Chapter

Perché?
ISBN: 978-4-86750-194-8
Edizione A Caratteri Grandi

Pubblicato da
Next Chapter
1-60-20 Minami-Otsuka
170-0005 Toshima-Ku, Tokyo
+818035793528

6 Giugno 2021

Lightning Source UK Ltd.
Milton Keynes UK
UKHW041613240621
386092UK00001B/73